TRES SOMBREROS DE COPA

MARIBEL
Y LA EXTRAÑA FAMILIA

clásicos Castalia

MIGUEL MIHURA

TRES SOMBREROS DE COPA

MARIBEL
Y LA EXTRAÑA FAMILIA

Edición,
introducción y notas
de

MIGUEL MIHURA

TERCERA EDICIÓN

clásicos castalia

Madrid

Copyright © Editorial Castalia, S.A., 1989
Zurbano, 39 - 28010 Madrid - Tel. 319 58 57

Cubierta de Víctor Sanz

Impreso en España - Printed in Spain
Unigraf, S. A. Móstoles (Madrid)

I.S.B.N.: 84-7039-269-7
Depósito legal: M. 20967-1993

SUMARIO

A Gustavo Pérez Puig, con mi gratitud

M. M.

INTRODUCCIÓN

I. Tres sombreros de copa

DESDE agosto de 1943, fecha en que escribí un prólogo para mi comedia inédita *Tres sombreros de copa* y que publicó Editora Nacional aquel mismo año, no he vuelto a escribir nada sobre mí ni sobre mi teatro y esto no puede ser bueno para la salud.

De vez en cuando, y aun haciendo un esfuerzo, hay que desahogarse y, sobre todo, esclarecer algunos hechos que van quedando oscuros y confusos, transformados, de buena o mala fe, por unos y por otros, y en consecuencia, sin un valor auténtico y de primera mano.

Y no es que a mí me importe gran cosa esclarecer nada, porque son asuntos pasados que, al cabo de los años, me tienen completamente sin cuidado. Pero ya que me pongo a escribir quiero contar la historia del estreno de *Tres sombreros de copa* tal como realmente fue y cómo se produjo para que los eruditos del Teatro y los ensayistas que tienen la bondad de interesarse por mi obra sepan a qué atenerse.

En este volumen de Editora Nacional al que me refiero, además de *Tres sombreros de copa* —escrita en 1932 y que por primera vez aparecía en letras de molde— se publicaron los textos de *Ni pobre ni rico sino todo lo contrario*, comedia escrita en colaboración con «Tono», y *El caso de la mujer asesinadita* en colaboración con Álvaro de Laiglesia; ambas obras ya estrenadas en el Teatro María Guerrero de Madrid, en 1943 y 1946 respectivamente, y dirigidas

9

por Luis Escobar y Huberto Pérez de la Ossa que fueron los primeros en aventurarse a llevar a un escenario español esta clase de teatro que, años después, se llamaría «teatro del absurdo».[1] Y que aunque este tipo de teatro tuvo un gran éxito de minorías y nos prestigió a los autores a los que nos fue reconocida una indudable originalidad mezclada con cierta paranoia, despertó grandes polémicas entre el público y la crítica y empezaron a relacionarlo con la revista *La Codorniz*, que yo había fundado y dirigido en 1942, y cuyo tipo de humor se había puesto fulminantemente de moda entre la juventud.

Por lo que a aquellas obras empezaron a denominarlas como «codornicescas», definición que a mí, personalmente, me irritaba muchísimo y ya explicaré más tarde, si me acuerdo, las poderosas razones que tenía para ello.

Y en el prólogo mencionado, además de contar emocionadamente mi niñez y mi juventud, que habían transcurrido en un ambiente totalmente teatral ya que mi padre era actor, autor y terminó siendo empresario de dos compañías de comedia, explicaba también de qué modo y en qué circunstancias escribí mi primera comedia *Tres sombreros de copa* —diez años antes de fundarse *La Codorniz*— mis dificultades absolutas para estrenarla y también las dificultades que encontré para estrenar las otras dos obras en colaboración, de las que ya he hablado. Y las impresiones y conclusiones que saqué de estos dos estrenos, así como del primero —de un humor no tan avanzado, aunque con la misma carga de inconformismo que las anteriores— y que tuvo lugar en noviembre de 1939, en el antiguo Teatro Cómico de Madrid, con una obra titulada *¡Viva lo imposible! o el contable de estrellas*, escrita en colaboración con Joaquín Calvo Sotelo.

Esto es, poco más o menos, lo que allí contaba, adornado, naturalmente, con toda clase de anécdotas y pormenores; pero como todavía no había conseguido estrenar *Tres sombreros de copa*, hecho que no tuvo lugar hasta 1952, no pude

---

[1]   No hay que olvidar que Eugene Ionesco, nacido en 1912, empezó a escribir teatro en 1950.

relatar las circunstancias de aquel estreno, que es lo que con el permiso de ustedes, y como ya les he anunciado, les pretendo explicar a lo largo de estas cuartillas.

Desde entonces no he escrito nada sobre mi teatro. [2] Y este silencio es comprensible pues como saben muy bien los que me conocen, a mí no me gusta nada escribir. Y si, además, lo que escribo no tiene un destino inmediato, o un porvenir económico potable o no está asociado a un compromiso adquirido por alguna presión amistosa, el escribir me parece una ocupación sin ningún sentido. Y el referirme a mis propios trabajos, el profundizar en ellos, no sólo me produce un pudor enfermizo sino que como nunca me he propuesto nada al escribir, aparte de ganarme la vida, no puedo juzgar mi labor. Y, en consecuencia, profundizar en ella me sería totalmente imposible. Porque confidencialmente les diré a ustedes que a mí no me gusta nada el teatro; que no siento por él la menor afición y que una vez que paso por el trance doloroso de escribir una obra, no me vuelvo a acordar de ella. Ni siquiera de que soy comediógrafo.

—¿Y por qué ha elegido usted el teatro si no le tiene la menor afición?— me preguntan algunos.

Y yo les respondo:

—Porque yo no le tengo afición al teatro ni a nada. Y como tanto me da una cosa que otra sigo, por inercia, en esta profesión.

Por eso me temo que todo lo que diga en este prólogo va a carecer de interés pedagógico para los eruditos del Teatro, a menos que se conformen con enterarse de unos cuantos chismes de entre bastidores, de las aventuras y desventuras de un autor que empieza y de sus esperanzas y desesperanzas.

Sin embargo, y como a pesar de esto que les digo, la Editorial Castalia me hace el honor de solicitar de mí una introducción para mis comedias *Tres sombreros de copa* y

---

[2] Me equivoco. En 1972 leí una conferencia en el Círculo de Bellas Artes de Madrid, dentro del ciclo en el que se celebraba el Día Mundial del Teatro y que se titulaba «Del teatro lo mejor es no hablar». Conferencia que se publicó en el mismo año en un volumen editado por el Ministerio de Información y Turismo.

Maribel y la extraña familia, que va a publicar juntas en un volumen, y como ya soy viejo y recordar el pasado es uno de los pocos deportes que puede practicar un hombre de mi edad, me voy a dar el gustazo de contar lo más fielmente posible las historias de los estrenos de estas dos comedias, el resultado que alcanzaron las mismas, lo que significaron para mí y para mi profesión de comediógrafo, el juicio que ambas obras me merecen y los antecedentes y causas que me hicieron cambiar de estilo escribiendo otra clase de obras, que molestaron un poco a los críticos y a las que también me referiré aquí con bastante detalle. Y al mismo tiempo, como decía al principio, esclarecer algunos hechos pocos conocidos por la gente de teatro, por los aficionados a él y por sus ensayistas e historiadores y que servirán para justificarme de algunos de mis pecados literarios.

Es difícil —para no repetirme— soslayar el prólogo del que vengo haciendo mención con una machaconería insoportable desde que comencé este trabajo. [3] Pero empezaré mi historia de hoy a partir de uno de los momentos en que dejaba mi historia de ayer y es aquel en que confesaba, con el corazón en la mano, que le había tomado una tremenda antipatía a mi primera obra *Tres sombreros de copa.* Y además de antipatía —que es un sentimiento cambiante— sentía por ella una profunda indiferencia, que es un estado de ánimo más firme y más difícil de modificar.

La obra —como les pasaba a todos los que la habían leído— a mí, al cabo del tiempo, tampoco me gustaba nada. Es más; me parecía insoportable, anodina. De una novedad pasada de moda. Porque los que inventan estas cosas nuevas son los primeros en cansarse de ellas y en encontrarlas abominables.

Y en vista de ello decidí dejarla guardada en un cajón con el propósito firme de no ocuparme más de esta comedia. Pero tengan esto muy en cuenta. La dejé sin amargura, sin frustraciones, sin rabietas de genio incomprendido, sin com-

[3] Este prólogo se ha publicado en los siguientes libros:
Tres sombreros de copa, Miguel Mihura, Editora Nacional, Madrid, 1947.
Miguel Mihura, *Obras completas,* Editorial A.H.R., Barcelona, 1962.
Miguel Mihura, *Obras Selectas,* Ediciones Carroggio-A.H.R., Barcelona, 1971.
Miguel Mihura, *Primer Acto,* Editorial Taurus, Madrid, 1965.

plejos y sin despecho. Si la comedia, escrita en 1932, no le interesaba a nadie para su estreno, y me la habían rechazado, uno por uno, todos los actores, actrices y empresarios, era de suponer que algo tendría la obra de negativo para que esto ocurriera. No era una conjura contra mí ni contra la comedia. Era un asunto que había salido mal y esto era todo. Un caso, tal vez, de mala suerte. Una novia que nos deja después de haber puesto en ella un gran cariño. Una pequeña desilusión. Pero mi poca afición al teatro, que ya he confesado, me impedía tomarme un disgusto por algo tan insignificante.

Y olvidé el caso y no me preocupé. Seguí haciendo diálogos y guiones de cine que es a lo que me dedicaba desde que me cansé de *La Codorniz* y les vendí la propiedad a unos caballeros, dejando en mi puesto de director a Álvaro de Laiglesia. Y después de mi último estreno, *El caso de la mujer asesinadita*, me olvidé por completo del teatro como años antes me había olvidado del dibujo humorístico, de los artículos, de las crónicas, de los cuentos, de los doblajes de películas y de otras varias actividades de las que pronto me cansaba. Porque nunca he tenido espíritu de oficinista que puede pasarse la vida en el mismo negociado. Me gusta cambiar de butaca. De ambiente. De mujer.

Sin embargo, en el año 1951 las cosas empezaron a ir mal para el cine español y, en consecuencia, para mí y para mis finanzas. Y como, además, al cabo de seis o siete años ya estaba hasta la punta del pelo del cine y de las gentes que lo rodeaban, con un suspiro de alivio, dejé también el cine.

¿Qué hacer entonces? Después de reflexionar cinco minutos —el cine me había dejado tan tarado que me era imposible reflexionar otros cinco minutos más— pensé que lo mejor era volver de nuevo al teatro. Pero volver al teatro ya de un modo definitivo, para vivir de él en serio, sin ocuparme de otras cosas. Y para vivir, además, bien, del mismo modo que había vivido bien con mis anteriores ocupaciones que siempre me habían permitido una holgura económica sin problemas.

Y para conseguirlo, dedicarme a hacer ese teatro comercial o de consumo, al alcance de la mentalidad de los empresarios, de los actores y de las actrices y de ese público burgués que, con razón, no quiere quebrarse la cabeza después de echar el cierre de la puerta de su negocio.

En resumen y para abreviar: había decidido prostituirme.

Pero ¿sería tan fácil prostituirse a los cuarenta y seis años, que era la edad que yo tenía entonces? En todos los órdenes, incluso en los físicos, yo lo creía casi imposible. Era ya tarde. Mi sensibilidad y mi decencia profesional me lo impedirían al menos de un modo rotundo.

Tendría que hacerlo con cierta timidez y sin que se me notara demasiado, como esas muchachitas provincianas que llegan a Madrid, que se colocan en una peluquería y que al cabo del tiempo terminan por llevar una doble vida, pero conservando siempre su honorabilidad.

Porque yo había llegado al teatro con amor. Eso es indudable. No con vocación, sino con amor. Mi primera obra *Tres sombreros de copa* la había escrito con facilidad, con alegría, con sentimiento. Me había encontrado a mí mismo, lo contrario que me había ocurrido con el dibujo y la literatura de humor, géneros en los que en mis principios había sufrido mil influencias. En esta obra, no. Aquel estilo era el mío propio y yo sabía muy bien que no estaba influido por nadie; que escribía lo que sentía; y que las palabras necesarias para expresar aquello que sentía, fluían de mi pluma sin ningún esfuerzo, espontáneas, con emoción, con garbo, con vida propia, con ritmo y hasta con una cadencia especial que sonaba a verso. [4]

Y aunque como ya he dicho, a pesar de todo, la obra me llegó a caer antipática —como a ciertos maridos enamorados les caen antipáticas sus mujeres al cabo de varios años de convivencia— no puedo negar, repito, que la había escrito con amor. Con amor y con melancolía pues como ya conté en el prólogo al que tantas veces me he referido, la escribí durante una larga enfermedad que me tuvo tres años en

----

[4]   Es curioso que muchos críticos y ensayistas que han hecho estudios sobre *Tres sombreros de copa* no hayan reparado en esta virtud melódica, que yo considero de gran valor. Claro está que, a lo mejor, yo tengo mal oído y estoy equivocado.

cama y, por si fuera poco, a raíz de un forzado rompimiento amoroso que fue lo que me inspiró la comedia.

Pero ahora había que olvidarse del amor y de los sentimientos y tratar de fingir ese amor y esos sentimientos. Engañar. Mentir. No entregarse. Emplear otros procedimientos más fáciles, más burdos, más falsos para complacer al cliente. ¿Me sería esto posible? Al menos procuraría intentarlo.

Así es que, como les vengo diciendo, decidí escribir teatro comercial. Y sin colaboradores, naturalmente, de los que me había valido al principio, ya que para mi pereza proverbial y para mis pocas ganas de escribir, necesitaba otra persona al lado que me animase y me ayudase en el trabajo.

El comediógrafo, además, debe escribir solo pues si lo hace en colaboración produce el efecto de esos señores que tienen una amante a medias para que les salga más barata. No es un buen sistema. Las amantes hay que tenerlas solo, con todas sus consecuencias, sufragando todos sus gastos y aguantando todas sus monsergas. Así, además, se evitan las discusiones y los celos y el «ahora me toca a mí» y el «ahora te toca a ti», con lo que se termina mareando a la pobre «amante» que no sabe qué camino seguir ni a quién hacer caso.

Aparte de todo y como se ha dicho por error en algunas ocasiones antes del estreno de *Tres sombreros de copa*, yo no era un autor desconocido ni muchísimo menos. Tenía un prestigio. Se creía en mí.

Aparte de mi labor periodística y literaria, dos de las tres comedias que había escrito en colaboración, después de ser explotadas en Madrid se representaban con gran éxito —aunque con la misma disparidad de criterios— en todas las provincias de España, y en Hispanoamérica. En Méjico, por ejemplo, *El caso de la mujer asesinadita* estuvo en cartel dos temporadas, que en aquellos tiempos era difícil. Y seis meses en Buenos Aires. Y las dos obras se habían llevado al cine.

Por este motivo, los empresarios, los actores y sobre todo las actrices me pedían comedias constantemente. Pero de estas peticiones no había que hacer mucho caso porque en el mundo teatral eso de pedirles comedias a todo el mundo es una especie de tic nervioso que padecen todos aquellos que se dedican a esta apasionante y extraña profesión.

Sin embargo, la que me pedía obras con más insistencia era la actriz Lilí Murati, que por aquellos años estaba en sus mejores momentos de actriz. Y un día vino a rogarme que se la escribiese con urgencia para estrenarla inmediatamente en el Teatro Reina Victoria de Madrid, en donde entonces actuaba. No tenía obra y quería algo mío.

Para el teatro de consumo que yo me había propuesto escribir ésta era una ocasión única. Un buen teatro y una buena y popular actriz cómica.

—¿Tienes algo hecho?— me preguntó.

—No. Pero lo puedo hacer.

—¿Pronto?

—Quince o veinte días— le afirmé son seguridad.

Me fui a mi casa y empecé a pensar un tema. Recordé que durante la Segunda Guerra Europea, cuando ya habían empezado los bombardeos en Italia, había pasado unos días en Roma y Milán alojándome en los mejores hoteles de lujo, puesto que iba invitado por el Ministerio de Propaganda —o algo así— para que estableciese contacto con los humoristas italianos que debían mandarme colaboración a *La Codorniz*. Y los bares americanos de estos hoteles eran los puntos de reunión de los grandes espías internacionales. Recordando este ambiente se me ocurrió un leve asunto y empecé a escribir.

En cinco días despaché el primer acto. Le encantó a Lilí. Tardé otros cinco en escribir el segundo. Le apasionó. Y terminé la comedia cinco después. Se volvió loca de placer.

Así nació *El caso de la señora estupenda*, una obra sin pretensiones, convencional, que consideré fácil, con suficientes concesiones para que le gustase al público. Me esmeré en el diálogo y, sobre todo, presenté un tipo de cínico-egoísta, que todavía considero nuevo e interesante. La comedia —mejor, farsa— tenía acción, interés y estaba llena de situaciones y sorpresas. Para ser mi primera obra de consumo, pensé que reunía todos los ingredientes necesarios para que las empresas se la disputaran. Como siempre, estaba equivocado.

Lilí Murati estaba encantada con la obra, en la que tenía un gran papel, aunque me pidió que hiciera algunos pequeños arreglos. Esto es normal en el teatro. Los hice. Después, tímidamente me suplicó que variase alguna cosa más. La varié. Todo quedó a su gusto... Pero cuando iban a empezar los ensayos —por razones particulares y económicas— se despidió de la compañía el primer actor que era imprescindible para la comedia y en el que también había pensado al escribirla. [5] Se hicieron múltiples gestiones para contratar a otro de sus mismas características, pero no había ninguno que ni siquiera se le pareciese. Todo fue inútil. Y en vista de ello, muy apenados, hablamos Lilí y yo y decidimos que, en beneficio de la comedia, lo mejor sería no estrenar la obra hasta que se encontrase al actor idóneo.

—¡Pues sí que empieza con suerte esto del teatro comercial!— me dije compungido.

Y mientras se resolvían las cosas empecé una nueva obra, sin destino determinado, que se titulaba *Piso de soltero*, y que, después, por imposición de la censura que no veía con buenos ojos eso de que un soltero viviese en un piso, en lugar de vivir en una Residencia de los Escolapios, se estrenaría con el título de *A media luz los tres*, parodiando el famoso tango argentino *A media luz los dos*. Y al mismo tiempo la emprendí con la adaptación teatral de *Una mujer cualquiera*, cuyo guión dramático-policiaco había escrito para la actriz mejicana María Félix y con el que se hizo una película, dirigida por Rafael Gil, que había tenido un excelente éxito.

La Compañía de la Murati había salido a provincias, había contratado a otro actor —que no tenía nada que ver con el que habíamos buscado con tanto esfuerzo— y en Enero de 1952 me llamó Lilí por teléfono para que me fuese a Sevilla en donde iban a estrenar por fin *El caso de la señora estupenda*. Y entre otras cosas pintorescas me dijo que mi presencia era imprescindible ya que tendría que hacer muchos cambios en la obra, porque en la obra «ella no tenía papel». Pero así, sin más historias. Que en los ensayos se

---

[5]   Este actor era Pedro Porcel, ya desaparecido.

había dado cuenta de que ella no tenía papel. Ninguno. Ni bueno ni malo. Vaya, que no tenía papel.

Me quedé confuso. La obra estaba escrita a la medida de Lilí. Justificando, además, su exagerado acento extranjero. Con situaciones a su cargo en el transcurso de toda la comedia. Con un papel brillante, en el que no sólo podía lucir un rico vestuario —la ambición de toda actriz— sino que con él podía lograr grandes carcajadas con frases desconcertantes y divertidas. Y con un personaje, además, que tenía que caer simpático al público; la doble ambición de todas las actrices: vestuario y simpatía.

Pero a pesar de todo, ahora resultaba que ella no tenía papel. Ninguno. Ni bueno ni malo. Que no se la veía en escena. Que no tenía papel, vaya...

Me fui a Sevilla y por la noche hicieron para mí una especie de ensayo general. Los noté a todos desanimados. Se veía que la obra no les gustaba nada. A mí, en cambio —tan exigente siempre con mi labor, tan pesimista, tan inconformista— no me pareció del todo mal para lo que me había propuesto. Y en seguida me di cuenta de que el mal efecto que les causaba a todos era debido a un mal montaje y a una pésima dirección de actores. Y a que la comedia —aparte de que no se la sabían como era costumbre en aquella época— no se matizaba, no se decía en la debida forma.

Lilí, acostumbrada a un teatro todavía más popular, no creía en el efecto de sus réplicas, y en consecuencia, las decía con miedo, en tono bajo, sin dar a sus frases y parlamentos la intención y la brillantez debidas. Y, si ella, la primera actriz, representaba así la obra, pueden ustedes figurarse cómo la representaban los demás. El espectáculo, pues, resultaba penoso.

Entonces me encaré con ellos muy gentilmente, muy jugándome el todo por el todo, y les dije que aquel montaje no era el adecuado para la obra. Que se habían equivocado. Y que era necesario montarla, conjuntarla, matizarla y «hablarla» de un modo diferente. Y que, si me lo permitían, yo me encargaría de ello personalmente, dejando la obra a punto en un par de días. Y con fundadas esperanzas de éxito.

Porque mi teatro —aun el malo— hay que matizarlo de un modo especial. Sencillamente. Sin exageraciones. Sin hacerse el gracioso. Mi teatro, por desgracia, es muy personal, y por consiguiente, muy difícil de interpretar.

—Cuando tú lees tus propias obras, todas parecen buenas. Todos los papeles son de lucimiento. Después, al representarlas, ya no lo son tanto— me dijo un día el actor Alberto Closas, con lo que confirmaba que al leerlas, yo les daba el matiz adecuado, que después, los actores, no acertaban a repetir.

Y debo decirles, por si no lo saben, que desde muy joven, desde los tiempos en que mi padre tenía dos compañías de comedia, yo asistía a todos los ensayos de las obras que se estrenaban y había aprendido de Muñoz Seca, de Arniches, de García Álvarez, de los Quintero y más tarde de Jardiel Poncela, cómo se mueven unos personajes en escena. Cómo se dirigen. Cómo deben estar colocados para que las frases tengan más efecto y más valor, y el público —tanto el de butacas como el de anfiteatro— no se pierda ni una réplica cuando la réplica vale la pena. Y de qué modo se impide que un actor distraiga al público con algún gesto o movimiento cuando está hablando otra figura. Entonces, por regla general, dirigían los propios autores, o en todo caso, los primeros actores y directores de las Compañías.

Y en el cine, durante cuatro o cinco años, yo fui el encargado de dirigir a los intérpretes de mis propios guiones, haciendo que estos actores matizaran sus frases como yo había soñado, y como mi estilo personal de dialoguista lo requería. Y en varias ocasiones, durante los ensayos de *Ni pobre ni rico sino todo lo contrario* el propio Luis Escobar buscaba mi colaboración para que les explicara a los actores cómo había que resolver un efecto determinado, que ni él mismo comprendía. Porque este humor no es fácil de comprender ni de expresar y directores excelentes fracasan en ello. Esta es la razón por la cual desde mi quinto estreno dirijo yo siempre mis propias obras.

Y ya que he hecho esta especie de aparte en mi relato les aseguro que no se me ha olvidado hablar de *Tres sombreros de copa*, ni de *Maribel y la extraña familia*, que es lo que les anuncié al empezar esta introducción y para lo que nos hemos reunido aquí. El motivo de irlo retrasando y contar todas estas visicitudes, es para que se den cuenta del estado de ánimo en el que me encontraba cuando llegó el estreno de *Tres sombreros de copa*. Unas páginas más y en seguida llegamos a esta parte.

*   *   *

A mi proposición de que dirigiera yo la obra, Lilí Murati se negó en rotundo. Su marido —director, autor y empresario— hizo otro tanto. Entonces les dije que me devolvieran la comedia, y me la devolvieron encantados como si lo estuvieran deseando. Y regresé con ella a Madrid, no sin antes encontrarme en el aeropuerto a otro autor amigo que llegaba a Sevilla en aquel momento.

—¿A qué vienes tú aquí?— le pregunté.

—A seguir los ensayos de una obra que me va a estrenar Lilí Murati. Me llamaron ayer con urgencia.

Estos eran los modos y maneras, finos, sutiles y elegantes que se empleaban en el teatro llamado comercial. Habían encontrado otra obra, quizá con más probabilidades de éxito, y condenaban al ostracismo aquella que me habían pedido con tanta urgencia y con la que al principio se mostraban tan entusiasmados.

—¡Pues sí que esto del teatro de consumo se está poniendo simpático!— me dije con una sonrisa, que supongo sería de conejo, mientras me abrochaba el cinturón y pedía a la azafata un *wisky* doble.

En Madrid le leí la comedia a Luis Escobar, que la encontró graciosa y divertida, pero al que no le pareció adecuada para un teatro oficial como el *María Guerrero*. Tenía razón.

Se la leí a Fernando Granada, empresario entonces del *Reina Victoria*, que la escuchó sin gran entusiasmo y me ofreció estrenarla, pero sin comprometerse a ninguna fecha. Y además me dijo que tenía que arreglar algunas escenas del primer acto.

Se la leí a una primera actriz argentina, Paulina Singerman, a la que no le gustó nada. Es más, no sólo no le gustó sino que no entendió una palabra de lo que allí ocurría. Y me dijo que, en todo caso, tendría que arreglar los dos últimos actos para que ella pudiera entenderla.

Entonces un día se la leí a Edgar Neville para la Compañía que tenía formada con Conchita Montes. Y a Edgar sí le gustó la obra, arreglando, naturalmente, algunas escenas. Más tarde la leyó Conchita Montes a la que le pareció francamente buena y ofreció estrenármela, siempre que modificase algún parlamento.

Me había dedicado, pues, al teatro comercial —o al menos lo intentaba— dejando de hacer el que a mí me gustaba, y empecé a darme cuenta de que ese teatro era tan difícil de estrenar como el denominado literario, nuevo, de vanguardia o como quieran ustedes llamarlo. Con la diferencia de que en el de vanguardia nadie se atrevía a opinar porque no tenían ni idea de dónde podría estar el posible fallo. Les gustaba o no les gustaba y esto era todo. Mejor dicho; no les gustaba, y su opinión terminaba ahí.

En el de consumo, en cambio, todo el mundo opinaba. Actores, actrices, empresarios y directores. Las objeciones que me puso Lilí no tenían nada que ver con las que me puso Granada. Las de Granada no coincidían en absoluto con las de la actriz argentina. Las de la actriz argentina eran opuestas a las de Neville. Y las de Conchita Montes eran totalmente inéditas y originales sin ningún punto de contacto con las de los demás.

—¿Qué clase de comedia he escrito yo para esta disparidad de criterios? ¿Vamos a empezar otra vez con lo de *Tres sombreros de copa*? ¿Será que no me he prostituido lo suficiente? ¿Será que me he pasado? —me preguntaba ya aburrido, cansado, desolado, sin ánimos para continuar una lucha teatral que había empezado a los veintisiete años y que a los cuarenta y siete —los que tenía entonces— no me conducía a ninguna parte.

Y si esto le ocurría a un hombre que había nacido y se había educado en el teatro ¿qué clase de desdichas les ocurrirían a los demás?

Por otra parte ¿es que un autor puede escribir así comedias? Ahora, cuando se hacen estudios y tesis sobre mi obra, cuando se profundiza en ella —muy favorablemente por regla general— pocos se dan cuenta de lo, difícil que le ha sido a un autor, que sólo pretende vivir del teatro, escribir a su gusto. A su aire. Con libertad. Sin condicionamientos. Dejándole a él solo la responsabilidad de su trabajo, de sus ideas, de mostrar sin tapujos, sin caretas, su propia personalidad.

Por aquella época, y con gran sorpresa por mi parte, dos hombres de teatro se interesaron por *Tres sombreros de copa*. El actor Marco Davó que quería ponerla en escena y Juan Guerrero Zamora, el ilustre ensayista que se había hecho empresario y director del antiguo teatro Cómico y que se presentó un día en mi casa a pedirme la comedia para estrenarla inmediatamente con su Compañía.

A los dos les dije que no. Que lo sentía mucho, que les agradecía su interés, pero que para mí *Tres sombreros de copa* era una obra olvidada, en la que no creía; que se había quedado vieja y marchita como un celuloide rancio y que no me hacía ilusión estrenar. Y que después de los estrenos de *Ni pobre ni rico sino todo lo contrario* y *El caso de la mujer asesinadita*, que la mayor parte del público no había comprendido, no consideraba oportuno estrenar otra comedia todavía más difícil de comprender.

—¿Éstas son todas tus razones?— me preguntó Juan Guerrero Zamora.

No. No lo eran. Y no sé si fue al propio Juan al que le expliqué los otros motivos que me resistía a descubrir.

Unos argumentos quizá sutiles, infantiles, injustificados, y a lo mejor con una pequeña carga de soberbia.

Y aunque me molesta referirme a ello, si quiero ser sincero conmigo mismo, es mi deber en esta introducción aludir a estas razones.

Para un escritor no eran difíciles de comprender. *Tres sombreros de copa*, escrita en soledad, sin influencias, era un antecedente de *La ametralladora*, revista que yo había dirigido durante toda nuestra guerra en San Sebastián. Y *La Codorniz* una continuación más libre de esta primera revista que he citado.

Lo inverosímil, lo desorbitado, lo incongruente, lo absurdo, lo arbitrario, la guerra al lugar común y al tópico, el inconformismo, estaban patentes en mi primera obra escrita en 1932. Y a partir de finales de 1937 fui empleando estos elementos en las dos revistas, reservándome para mi uso particular, lo lírico, lo poético, lo patético, lo escéptico, aunque en algunas ocasiones —tímidamente— también lo empleé en los textos de las revistas.

Pero en los dos semanarios, mis colaboradores, animados por mí, aconsejados por mí, empleaban mis mismos modos. No es que los copiasen ni mucho menos; no es que se los apropiasen. Es que, según mi punto de vista como director, era necesario para que la revista tuviese una unidad, un estilo propio y no hubiese disonancias, ni discrepancias en su contenido. Se había formado un equipo y eso era todo.

Y como decía en el prólogo de Editora Nacional continuamente se mezclaba *La Codorniz* con *Ni pobre ni rico sino todo lo contrario* que era lo que más me molestaba. Porque como ya he repetido hasta la saciedad esta comedia había sido escrita cuatro años antes de haberse puesto a la venta el primer número de *La Codorniz*. Y *Tres sombreros de copa*, que es del mismo tipo de humor, once años antes de haberse estrenado *Ni pobre ni rico*. Este confusionismo, este creerse que se había aprovechado una moda, un éxito periodístico para ganar dinero en el teatro me ponía nervioso. Mi respeto al teatro y mi labor de muchos años antes me impedía estar contento con aquel éxito de circunstancias.

En Barcelona, donde *Ni pobre ni rico sino todo lo contrario* no gustó nada me preguntaron en una entrevista periodística:

—¿Está usted satisfecho de esta obra?

—No —contesté—. Considero que esta comedia ha sido sólo un experimento y que esta clase de teatro ha terminado con este ensayo. Yo, por lo menos, no pienso escribir otra obra de este tipo.

—Pero ¿seguirá usted escribiendo comedias?

—De momento, no. Esperaré a que pase la popularidad y la moda de este humor y la controversia que *Ni pobre ni rico* ha promovido para que así la gente pueda ir a ver mi otra obra sin ninguna pasión y sin prejuicios de ninguna clase. Además, tanto los que combaten *La Codorniz* como los que la defienden esperarán de mí otra comedia de este estilo y yo pienso escribir una cosa completamente distinta para que el público se quede aún más despistado de lo que se ha quedado ahora.

En resumidas cuentas. Que lo que yo me negaba a seguir haciendo era un teatro «codornicesco», puesto que lo «codornicesco» había terminado por significar algo así como una marca comercial o una razón social con diferentes accionistas. Yo tenía un buen paquete de acciones, desde luego, pero no todas. Era uno más. Y esto me deprimía y me desanimaba. Y no era la ambición lo que me causaba este malestar, sino el que mi propio estilo de juventud hubiera pasado a ser del dominio público.

Por eso le dije a Guerrero Zamora:

—¿Qué quieres? ¿Qué estrene ahora *Tres sombreros de copa* para que digan que imito a todos aquellos que me han seguido? Este humor está ya al alcance de cualquier fortuna y del mismo modo que hace muchos años que lo inventé, ahora debo inventar otro, mejor o peor, pero distinto, para que no puedan establecerse comparaciones por un público y una crítica que siempre se muestran olvidadizos.

Y así terminó la conversación con Juan, sin llegar nunca a saber si le convencieron mis argumentos. Tampoco sé muy bien si me convencieron a mí. Pero hay momentos en la vida en los que uno tiene que justificar muchas cosas y defenderlas con tesón aunque no se encuentre muy seguro de lo que justifica ni de lo que defiende.

A un hecho penoso siempre sigue otro de signo contrario. Al menos eso piensan algunos optimistas. Y este hecho feliz fue cuando Conchita y Edgar me prometieron formalmente estrenarme *El caso de la señora estupenda* después de *El baile,* una comedia de Neville, que por su poesía, su encanto, su fragancia, su delicadeza y sus valores teatrales puros, no les merecía a los empresarios del teatro demasiada confianza.

El baile se estrenó en el Teatro de la Comedia el 26 de septiembre de 1952 y yo no recuerdo haber asistido a ningún estreno de éxito tan clamoroso y merecido, pues *El baile* es una de esas pocas obras perfectas que se escriben cada diez o doce años.

Pero aun así, aun llenándose el teatro a diario, los expertos, los listos, los que saben tanto de espectáculos creían que la obra podría «caer» [6] en cualquier momento y que siempre sería conveniente empezar a ensayar la próxima. Y el 17 de octubre de aquel mismo año empezaron los ensayos de *El caso de la señora estupenda.* [7]

Yo me encargaba de la dirección de los ensayos, contando, además, con aquel gran actor en el que había pensado al escribir la obra —Pedro Porcel— y que con tanta inoportunidad se despidió de la Compañía de Lilí Murati para contratarse con Conchita Montes.

Y en estas circunstancias, en este estado de ánimo confuso y fatigado de autor teatral, fue cuando una tarde se presentó en mi casa Gustavo Pérez Puig, al que no tenía el gusto de conocer y del que no había oído hablar en mi vida. Ustedes perdonen pero fue exactamente el 6 de noviembre de 1952.

* * *

Gustavo era un muchacho muy joven, muy decidido, muy mal hablado y que ponía tal entusiasmo, tal sinceridad, tal ímpetu en todo lo que decía, que a mí —tan pesimista, tan de vuelta de todo, tan escéptico y tan mal hablado también— me dejaba turulato.

—He venido a pedirle *Tres sombreros de copa* porque quiero estrenarla— me dijo.

—¿En dónde?— pregunté, sólo por curiosidad y por hablar de algo, ya que como he dicho en varias ocasiones estaba decidido a no estrenar la obra.

—En el T.E.U.— me contestó.

Confieso mi ignorancia, pero siempre he sido bastante despistado y yo no tenía ni idea de lo que era el T.E.U.

—¿Una sociedad de aficionados?— pregunté echándole valor.

---

[6] Término teatral con el que se expresa que una obra, de repente, y sin una razón precisa, deje de dar dinero.

[7] Supongo que habrá lectores que se quedarán muy sorprendidos al leer las fechas exactas en que se produjeron algunos sucesos importantes de mi vida de autor. Pero es que entonces yo llevaba una especie de diario en el que apuntaba todo, y que aún conservo.

—Más o menos. Pertenecemos al Teatro Español Universitario y yo soy el director.

—Ya.

En mi juventud yo había conocido alguna de estas sociedades de aficionados que solían llamarse «Los amigos de Linares Rivas», o «Los amigos de los hermanos Álvarez Quintero», o algo así, que alquilaban un teatro por las mañanas y daban una representación para sus socios con obras de aquellos autores de los que eran tan amigos. Incluso recuerdo que yo había asistido a alguna en la que por regla general había poco público, compuesto en su mayor parte por familiares y amigos de los aficionados que representaban la obra.

Desde luego, y como los lectores podrán comprender, le negué la autorización a Gustavo. Y le solté el mismo discurso que ya había pronunciado ante Guerrero Zamora y que era un discurso que me empezaba a gustar mucho. Pero Gustavo insistió. No tomaba en cuenta mis argumentos. No se daba por vencido. Rebatía todos mis razonamientos. Y me decía que una obra genial como *Tres sombreros de copa* no podía quedarse sin representar por la incomprensión de los empresarios. Que esto era un crimen para el Teatro Español Contemporáneo.

Y al final me dijo:

—Y además, ¿qué le importa a usted si sólo vamos a dar una representación?

—¡Ah! ¿Una sola?— exclamé muy contento.

—Sí, claro. Una sola. Cada mes o cada dos meses elegimos una comedia y la ponemos en escena. Y ahí se acaba todo.

Y volvió a insistir con unas razones tan atinadas y tan razonables, que empecé a ceder y le dije que lo pensaría y que volviera al día siguiente.

José Monleón, el gran periodista y ensayista de teatro, al que le debo los mejores elogios de *Tres sombreros de copa*, en un artículo publicado en la revista *Triunfo* relató así esta visita, en la que como protagonista figuraba Pérez Puig y no yo.

«Ocurrió varios años atrás. Sobre la escena del *Fon-*

talba, Gila y Ozores ensayaban *Tengo momia formal*.[8] Gustavo Pérez Puig formaba parte del grupo desperdigado por la platea. En las manos tenía un libro de la Editora Nacional, del que formaba parte una desconocida comedia de Miguel Mihura: respondía al bonito título de *Tres sombreros de copa*.

Gustavo era, desde varias semanas atrás, director del Teatro Español Universitario y andaba buscando una comedia... Comenzó a leer *Tres sombreros*...; al principio distraídamente, con un ojo en la escena y otro en el libro. Pronto desatendió el ensayo y cuando éste concluyó, Gustavo Pérez Puig había tomado una decisión: montar *Tres sombreros de copa*.

Se lo dijo a Miguel. Cuando Pérez Puig formuló su petición, el autor manifestó objeciones llenas de escepticismo: la comedia estaba escrita desde bastante antes de la guerra y pese a conocerla varios empresarios teatrales madrileños, nunca corrió el riesgo de fortuna o desventura que es el estreno. Pérez Puig insistió. Mihura señaló aún el corte extremado —eco de posiciones mantenidas por él en famosas revistas de humor— de la parte cómica. Expresó su temor de que aquel mundo de malabaristas negros, mujeres con barba y muchachas que nunca se casan, no alcanzase la comprensión y el afecto de los espectadores. Finalmente, vista la firmeza del joven director accedió al estreno. «Pensó, quizá —me dice Gustavo— que se trataba de una de tantas representaciones de estudiantes, sin más trascendencia que llenar unas horas.»

Era verdad. Tenía razón. Cuando Gustavo volvió al día siguiente yo había pensado que al fin y al cabo la representación de mi obra en una función única no iba a tener ninguna resonancia y que el fracaso o el éxito iba a pasar desapercibido en el mundo teatral. Poca gente iba a enterarse, aparte de los estudiantes, de Gustavo y yo.

Y le di mi autorización, con lo que Gustavo dio saltos de alegría.

---

[8]   El Teatro Fontalba estaba emplazado en la Avenida de José Antonio y se echó abajo para construir un Banco. En cuanto a Gila y Ozores eran dos actores cómicos excepcionales, el último de los cuales murió en plena juventud.

—Pero tendrá usted que quitar muchos chistes que ya han quedado viejos. Piense que hace veinte años que escribí la obra.

—Pierda usted cuidado. Haremos lo que usted disponga. Y dentro de unos días vendré a buscarle para que lea la obra a la compañía.

La misma semana, Gustavo y los componentes del cuadro artístico que iban a representar la comedia nos reunimos en el saloncito de un departamento oficial que pertenecía a la Sección Femenina y les leí la comedia. Yo la tenía casi olvidada. Y según iba pasando páginas me gustaba menos la obra.

Y, sin embargo, mi auditorio no cesaba de reír, especialmente en aquellas partes que yo consideraba más desfasadas, viejas, arbitrarias y absurdas.

Debo reconocer, en cambio, que aun no gustándome esta parte cómica, me quedé sorprendido y admirado cuando en la lectura descubrí que sí me gustaba —y mucho— su parte poética y sentimental que me llegó a conmover mientras leía. Y recordé que, al escribirla, esta parte era la que había escrito con más facilidad y fluidez, contrariamente al lado bufo que me había costado quizá más esfuerzo.

La lectura a la compañía, tanto en su parte cómica como poética, constituyó un triunfo y todos quedaron entusiasmados a pesar de mis comentarios despectivos para algunos trozos de la obra.

Los ensayos dieron comienzo y un día me invitaron a presenciar uno de ellos. Quedé encantado de cómo aquellos jóvenes actores interpretaban la comedia. Y de la forma en que estaba montada. Advertí, sin embargo, que así como en las partes sentimentales y en aquellas otras donde se fustigaba a una sociedad que me irritaba el matiz estaba medido, justo y exacto, no ocurría lo mismo en su faceta burlesca que los actores exageraban quizá demasiado.

Se lo dije a Gustavo al que le aconsejé de nuevo que había que suprimir efectos y frases que habían quedado viejas.

Gustavo no era partidario de estos cortes y con su vocabulario expresivo y rotundo y su gran entusiasmo me aseguró que todo era muy gracioso y que todo valía. Y no suprimí nada.

Y el 24 de noviembre de 1952 me avisaron para que fuese al teatro *Español* en donde iba a celebrarse el ensayo general. A las cuatro de la tarde.

—¿Cómo demonios habrán conseguido este teatro tan importante para hacer un ensayo general?— me pregunté extrañado.

Fui al ensayo y la obra, aparte de su lado «codornicesco», me pareció una delicia. La interpretación y la dirección eran irreprochables. Y me emocioné muy íntimamente, solo, en mi butaca, con las escenas de Paula y Dionisio —sus protagonistas— y con lo que tenía de patético todo el tercer acto y el final de la obra. Lo único malo fue el susto que me pegué al enterarme que el estreno, en lugar de celebrarse por la mañana en un teatro cualquiera, se celebraría aquella noche en el mismo teatro *Español*, el mejor teatro de Madrid.

Además me dieron un programa precioso en el que había unas líneas de introducción, que supongo escribiría Pérez Puig, y que decían así:

Tres sombreros de copa fue escrita por Miguel Mihura en 1932, y hoy la monta por vez primera, el T.E.U. de Madrid.

Esta comedia nació antes de tiempo. Era una pirueta cómica que nadie podía admitir. Era abrir la brecha del humor que más tarde siguió «La Codorniz» y que saltó por fin al escenario cuando los tiempos y el público ya habían madurado.

Últimamente su autor ha rechazado todas las peticiones que le hicieron las compañías profesionales y ha preferido que sea estrenada por una agrupación como la nuestra de Teatro Experimental. Nosotros agradecemos esta atención a Miguel Mihura.

Pero esta comedia no es tan sólo «una función de risa». La pareja protagonista se enfrenta con una situación que no tiene nada de cómico, ni de grotesco, ni siquiera de absurdo. Es un problema sencillo pero profundamente humano. El humor lo envuelve todo en un clima de alegre intrascendencia, que no resta, sin embargo, vigencia inmediata al hondo problema sentimental de los personajes.

La acción transcurre en un tiempo imaginario, que puede oscilar entre las dos últimas guerras europeas.

La música del año 20 anima el fondo sobre el que se mueven los muñecos de la farsa.

Toda la tarde estuve intranquilo y nervioso y dudando si debía asistir o no al estreno. Me daba un miedo horrible. ¿Qué pasaría con la obra? ¿Cómo la acogería el público?

Porque el entusiasmo de Gustavo y su seguridad en el éxito se debía a que acababa de leer la obra, le había gustado y la había puesto en escena. Todo en pocos días. Con decisión. Con coraje. Sin dudas. Como debe ser. Y no conocía bien su larga historia que para mí estaba llena de desencantos, de desdenes, de opiniones adversas que me habían hecho desconfiar de su posible eficacia cara al público.

Muy a última hora de la tarde, y según acostumbraba, me fui a tomar el aperitivo al Bar Chicote.

Allí me encontré con el crítico teatral de *ABC*, Luis Calvo, gran amigo mío desde hacía muchos años.

—¿Nos vamos a cenar por ahí esta noche?— le propuse, dispuesto a alargar la cena y la sobremesa y tener un pretexto para no aparecer por el teatro.

—No puedo —me contestó—. Ya es un poco tarde y me voy a tomar alguna cosa en una cafetería para después irme al estreno.

—¿A qué estreno?

—Al tuyo.

Mi espanto creció. Yo no sabía que a esta clase de representaciones únicas iban también los críticos.

—Pero ¿vais todos?

—Pues claro. —Y entonces, dándose cuenta de mi miedo, añadió—. Y supongo que tú vendrás también. Anda, vámonos.

Había caído en la trampa. Forzosamente tenía que ir. Además hubiera sido una descortesía para Gustavo y sus actores que yo faltase.

Llegué cuando ya había empezado la representación y me metí en el palco de unos amigos. Miré a la sala, tras las cortinas, y mi inquietud creció. El teatro estaba completamente lleno y el público aplaudía frases y mutis y pude comprobar cómo a una juventud enardecida la obra le entusiasmaba.

Vino a buscarme Gustavo Pérez Puig para que me fuese al escenario y saliese a saludar. Al final, salí. Los «bravos» y los «vítores» fueron unánimes. Me obligaron a pronunciar una palabras en las que posiblemente diese las gracias al público por sus aplausos y al director y los intérpretes por el resultado de sus esfuerzos y su fe en la obra. En realidad no se lo que dije, esta es la verdad.

Una vez echado el telón definitivamente se llenó el escenario de gente que venía a felicitarnos. Gentes jóvenes y desconocidas para mí, que me abrazaban.

Como no esperaba nada de esto me quedé abrumado y derrumbado. Y con una alegría interior que me era imposible exteriorizar. Pero lo más extraño de todo, lo más dramático es que me encontré viejo. Enormemente viejo. Y cansado. Sin ganas ya de nada. Sin importarme, en el fondo de mi conciencia, este éxito que me consagraba como autor, pero que había llegado demasiado tarde. Cuando ya tenía yo cien años.

Francisco Ruiz Ramón, en su historia del Teatro Español dice así:

«*Tres sombreros de copa* fue escrita en 1932, aunque no se estrenara hasta 1952 ¡veinte años después! En 1932 Jardiel Poncela apenas acababa de empezar su teatro y no había escrito todavía las piezas que romperían abiertamente con el teatro cómico coetáneo. En 1932 Casona no había comenzado su carrera de dramaturgo. (...) Ignoramos si al escribir estas líneas sabía Ionesco que *Tres sombreros de copa* había sido escrita diecisiete años antes que la *La cantatrice chauve*. Esta primera pieza de Ionesco se la estrenó Nicolás Bataille en 1950, un año después de haber sido escrita. Mihura no tuvo su Nicolás Bataille ni su *Theatre de Noctambules* y habiendo madrugado en la historia del teatro europeo, llegó con un retraso fatal. La oportunidad histórica dentro del panorama del teatro europeo contemporáneo, de estrenar *Tres sombreros de copa* en 1932, le fue escamoteada a Mihura, y a la historia no se le puede dar marcha atrás para reparar una injusta fatalidad.»

Es indudable que yo no tuve la suerte de mis ilustres compañeros y que de haber estrenado la obra a su debido tiempo mi destino y proyección en el teatro hubiese sido diferente. Pero ¿mejor, o peor? No lo sé. En teatro no se sabe nunca nada. Como en meteorología. Como en tantas otras cosas.

La crítica fue unánime en sus elogios, en sus cánticos y en sus «aleluyas». Y entre tanta crítica entusiasta, elegiré tres párrafos de algunas de ellas. Uno, de la que escribió V. Fernández Assís en *Pueblo;* otro, de la de Eduardo Haro Tecglen publicada en *Informaciones* y el último de la de Luis Calvo, publicada en *ABC* y que, en cierto modo, coincidían con mi particular visión de la obra. Y que unas veces confirmaban mis temores y dudas anteriores al estreno y otras los echaban por tierra.

Estos tres críticos, respectivamente, decían así:

... «En cierta manera, *Tres sombreros de copa*, escrita en 1932, está muerta y viva; muerta en lo que supone antecedente o primicia de un humor puramente verbal y, por lo tanto pasajero, aunque no por eso menos eficaz en lo que tuvo de reacción contra el tópico; viva en la fina pintura de los dos caracteres principales, en la elección del conflicto, en el desarrollo de varias escenas y sobre todo en la vena de ternura y poesía que discurre discretamente soterrada del principio al fin y que el buen entendedor descubre bajo las aparentes incongruencias de esta farsa de muñecos... Esta comedia, en alguna manera pieza de museo, e incluso ficha histórica, por lo que supone para señalar el punto de partida de una modalidad humorística, es a la par modelo de lenguaje teatral, preciso, exacto, vivaz y sin la menor concesión a la retórica...» V. F. A.

... «El humor de fantasía surrealista que Mihura fue el primero en aplicar al teatro, ha tenido muchos imitadores, muchos seguidores. Lo peor de las imitaciones literarias es que hacen ver los trucos del inventor. Lo que en Mihura, y en 1932, era poética fantasía, humor nuevo y raro, se ha convertido después en absurdo y en deformación grotesca. Y es que, entre Mihura y sus seguidores hay una enorme diferencia: la de que Mihura tiene talento. Y una vena humana de ternura y de inspiración. En él, en *Tres sombreros de copa*, el ropaje de humor fantástico es la manera de presentar un tema, una cuestión. En sus imitadores es al revés; el apunte de tema, cuando existe, no es más que un pretexto para aplicar el absurdo. Los defectos de esta comedia de Mihura, son los que nos han descubierto los otros, y cuando uno consigue aislarse de la corriente del llamado 'humor nuevo' —que tiene justamente veinte años; los mismos que esta obra— *Tres sombreros de copa* resulta una magnífica comedia...» E. H. T.

... «Miguel Mihura al escribir *Tres sombreros de copa* en 1932 creó un estilo, un nuevo modo de ver las cosas y traducirlas literariamente; un género alegre y desenfadado de satirizar, sin acritud, las costumbres, los dichos y los hechos... En torno suyo, coincidentes con él o atraídos por su personalidad, se formó un grupo de escritores y dibujantes festivos, muchos de los cuales se quedaron, por contagio con las apariencias y reflejos del nuevo estilo de humor, viviendo de sus relieves y los convirtieron enseguida en lugar común cotidiano y fatigoso; fatigoso como todo lo que es pura rutina. Miguel Mihura, además de humorista, propende a la emoción lírica. Por debajo del caudal centelleante de su ingenio, discurren gravemente emociones humanas. *Tres sombreros de copa* es una pequeña obra maestra de buen humor, de humor alegre y espontáneo y de delicadeza sentimental...» L. C.

Y un año más tarde, cuando la obra se estrenó en Barcelona, el estupendo crítico Luis Marsillach, escribía en *Fotogramas*:

«... El estilo de humor que hemos dado en llamar 'codornicesco', nunca me ha complacido. Se me antoja demasiado fácil, vacío e igual. Es una fórmula rígida encerrada en sí misma que conduce fatalmente a la monotonía. Lo peor es que su misma rigidez admite una cómoda imitación al alcance de todos los ingenios. En este sentido Mihura ha sido tan funesto como García Lorca. Bien está el lorquismo del propio Lorca y bien el 'codornicismo' de Mihura, en el que siempre se descubre una vena de auténtico humor genial. Lo malo son los imitadores que han creado, los de Lorca, una poesía de cuplé y los de Mihura un humor tan desvaído como desquiciado. A una reducida parte del público que acudió al estreno de *Tres sombreros de copa* en el Teatro Romea no le satisfizo la comedia...» L. M.

En vista del éxito que la pieza obtuvo en Madrid y de las

críticas elogiosas obtenidas, seis días después fue representada de nuevo en el mismo teatro y con idéntico resultado triunfal.

Y a primeros de diciembre vino Gustavo a decirme que le había llamado la empresa de Compañía del Teatro Beatriz para explotar la comedia, ya comercialmente, en este teatro.

No me gustó nada la idea y así se lo dije a Gustavo. La obra la había autorizado para representarla en teatro de cámara y, a pesar del éxito obtenido, no quería hacer una experiencia en teatro comercial, que a mi juicio, era peligrosa.

—Puedes equivocarte, como te has equivocado ahora, ya que no esperabas este éxito.

—No importa. Ya hemos ganado esta batalla. Es bastante. Vamos a dejar la obra en paz.

Gustavo insistió una y otra vez hasta que terminé por preguntarle:

—Bueno ¿y quién va a representar la obra?

—La Compañía de Luis Prendes que está allí actuando, conjuntamente con algunos elementos del *TEU* que la estrenaron.

—Pero ¿la pareja protagonista será la misma?

—No. Esos papeles los tienen que hacer Luis Prendes y otra actriz que tiene contratada en su Compañía.

Esto ya me pareció mucho peor. Admiro a Luis Prendes como actor y le aprecio como amigo. Pero no le veía en aquel papel. Y mucho menos a la actriz de la que me habían hablado. Rotundamente le dije que no. Y me desentendí de este asunto.

Mientras tanto *El baile* seguía llenando el Teatro de la Comedia, y de vez en cuando hacíamos ensayos parciales de *El caso de la señora estupenda*. Por inercia. Y porque nos reíamos mucho durante estos ensayos.

Pero la temporada estaba a punto de terminar y pensaban salir a provincias únicamente con *El baile*, y volver la temporada siguiente con la misma obra. Mi estreno, pues sufriría demasiado retraso y les dije a Conchita y Edgar que lo mejor sería que me llevase la obra para ver si la podía colocar en otra compañía. Edgar y Conchita aceptaron mi idea con la condición de que si no la estrenaba en otro teatro, como intentaba, se la volviese a dar a ellos. Y, si la estrenaba, les escribiese otra comedia para representarla la próxima temporada, inmediatamente después de la reposición de *El baile*. Y así quedamos tan amigos.

Porque a veces, en el teatro, y entre gente bien educada, se pueden arreglar las cosas de un modo cordial y comprensivo. No es corriente, pero así es.

La Compañía que venía a la *Comedia* a continuación de la de Conchita era la de Fernando Fernán Gómez, que iba a estrenar la obra de un autor español muy conocido, obra que a Fernando no le acababa de gustar. Me preguntó si yo tenía algo y le leí los dos primeros actos de *Piso de soltero*. Se entusiasmó.

—Sigue trabajando y termínala cuanto antes. Estoy seguro de que lo que voy a estrenar no va a tener éxito y empezaremos en seguida con los ensayos de tu obra.

Y Tirso Escudero, el empresario de la *Comedia*, que opinaba lo mismo que Fernando en cuanto a la obra que estaban ensayando me metía prisa también para que terminase mi comedia.

No me di prisa en absoluto. Esperé hasta ver el resultado de aquella obra que, según dos personas inteligentes, no iba a durar ni quince días en el cartel.

El resultado no se hizo esperar. La obra se estrenó el 9 de enero del 53. En un rincón del vestíbulo, antes de empezar la representación, Tirso insistía en que terminase mi comedia porque no tenía ninguna fe en aquello que íbamos a ver. A los pocos momentos de levantarse el telón el público empezó a reír y ya no lo dejó hasta el final. Fue otro éxito clamoroso que se sostuvo en cartel toda la temporada y que, como es lógico, perjudicó mis intereses. Pero yo estaba tan habituado a esta clase de percances que ni siquiera me inmuté.

—Está visto que esta profesión del teatro lo que quiere es que me coja el toro —pensé con una sádica sonrisa.

Durante este tiempo Gustavo se había salido con la suya. No quería llevarle la contraria a un hombre al que tenía tanto que agradecer y del que ya era amigo íntimo. Y además estaba ya cansado de discutir con él, con Luis Prendes y con Luis Escobar que se había hecho empresario del teatro *Beatriz*. Y les dije que, aunque no estaba de acuerdo, hicieran lo que les pareciera más oportuno.

Y *Tres sombreros de copa* se estrenó comercialmente el 19 de diciembre del 52, antes de lo de Fernán Gómez. El batiburrillo de unos actores profesionales con otros que no lo eran, resultaba sumamente extraño, aunque para ser sincero hay que reconocer que el público se inclinaba por los últimos, más espontáneos, más sinceros, con más frescura en la interpretación y que ya sabían de qué modo había que matizar la comedia. En todo caso había un desequilibrio total. Y unido esto al desequilibrio que ya la obra tenía de por sí, los espectadores no sabían como reaccionar.

A los tres días del estreno, el primer domingo, con el teatro casi lleno, el público de tarde empezó a meter los pies. La obra no les gustaba ni la entendían, que es lo que sospeché desde que se comenzó a hablar de este proyecto del *Beatriz*.

La recaudación empezó a bajar. Luis Prendes y Gustavo en su deseo de levantar la obra decidieron hacerme un homenaje para lo cual se preparó una función extraordinaria, a la que se invitó al «No-Do» y otra vez a la prensa. La intención era que se volviese a hablar de la comedia y del autor, para que sirviese de publicidad. Y estas funciones de homenaje, que se suelen hacer a las cien representaciones, en mi caso se celebró a los doce días de ser estrenada, o sea en la representación número veintitrés.

La función resultó muy divertida; algunos papeles de la obra fueron representados por escritores, periodistas y artistas conocidos de uno y otro sexo. Y los invitados, el público y todos nosotros nos reímos mucho y lo pasamos muy bien, con lo que resultó una velada muy agradable.

Y las representaciones siguieron con sus «meneos» correspondientes los domingos por la tarde que era cuando iban los buenos aficionados al teatro convencional, y que no entendían apenas nada de la obra y no sabían cuando tenían que emocionarse y cuando reírse, que es el defecto máximo que ha tenido siempre esta comedia. El paso rápido y brusco de un sentimiento a otro con lo que se despista y se marea al espectador que no acaba de entrar en situación.

La gente dejó de ir y el 12 de enero del 53, a las cuarenta y ochos representaciones la pieza se quitó del cartel casi al mismo tiempo que obtenía el Premio Nacional de Teatro. Mi primer Premio Nacional.

Todos los grupos de aficionados, todos los teatros de cámara de todas las ciudades de España empezaron a representar mi comedia. Era como una bandera de juventud y de inconformismo para la rutina, que tremolaban con entusiasmo. Pero a su vez era un pretexto para que los jóvenes actores vocacionales y los directores de escena que empezaban a proliferar en grandes cantidades tuvieran un motivo para lucirse.

Porque ya me dirán ustedes las cosas que se pueden hacer con una obra en la que salen parejas de enamorados de los armarios, parejas de enamorados también de debajo de la cama, una mujer barbuda, un negro tocando el «ukelele», parejas alocadas bailando y arrojándose serpentinas y artículos de cotillón, y un anciano tocando una trompeta y dando saltitos.

Y cuanto más se exageraba en el montaje, cuantas más raras en sus atuendos se presentaban las chicas, cuanto más extravagante resultaba la puesta en escena, más me irritaba yo.

—¡No es así!— decía por lo bajo cuando asistía en provincias a algunas de estas representaciones de aficionados a las que me invitaban.

—¡No es así!— me decía yo cuando hacia el año 65 la montó la Compañía Nacional del Teatro *María Guerrero*, para llevarla, con otras obras, en una larga gira por Hispanoamérica.

Porque cuanto de más dinero y más medios se disponía, más se exageraba en el montaje, en el vestuario, en los movimientos escénicos, en las serpentinas, en el confeti y en los conejos.

—¡No es así!— me irritaba cuando me llegaban fotografías de las representaciones que se le daban en el extranjero.

Y no debía de ser así, cuando la obra, traducida a quince o dieciséis idiomas y representada en otros tantos países, después del entusiasmo que despertaba el día del estreno y de las críticas fenomenales en la mayor parte de los casos, a los pocos días, cuando dejaba de ir el público minoritario, el normal no iba y había que dejar de representarla.

Nunca he tenido ocasión de montar yo mismo esta comedia y les seguro que lo hubiera hecho de un modo diferente. En serio, sin exageraciones, suprimiendo el tono de
farsa, con muchachas sencillas, femeninas y «sexis». Con
pecado. Con músicas de fondo dulces y apropiadas en las
que predominase el acordeón o el violín. O el solo de piano.
Jamás hubiera hecho una caricatura de la obra. Y quizá,
por no hacerlo así, por ir a lo burlesco, a lo estrambótico,
la obra haya perdido el cincuenta por ciento de su eficacia,
de su claridad, de su calidad incluso, ya que los colorines
y los cintajos impedían ver el fondo íntimo de la obra dejando
a la vista solamente el colorete con que estaba embadurnada.

—¡No es así!— les dije a Maritza Caballero y Aniceto
Alemán cuando después de recorrer España con su Compañía, representando, entre otras obras, *Tres sombreros de copa*
quisieron presentarse en el Teatro de la *Comedia* el 12 de
julio del 57 y yo lo impedí después de ver un ensayo general
que me indignó.

—¡No es así y hay que suspender esta reposición hasta
que la hagáis de otra manera, hasta que os quitéis esas ropas de mamarrachas de la época del charlestón y esos largos collares y esas largas pipas de mujeres fatales! ¡No
es así!

—·Pues así la hacíamos en provincias y gustaba mucho
—dijo alguien de la compañía.

No era verdad. Sobre esta gira de Maritza, Monleón
escribió:

> ... Recuerdo aún las agresivas barbaridades que a propósito
> de *Tres sombreros de copa*, escribiera un crítico de cierta capital
> de provincia cuando fue presentada por Maritza Caballero.
> Y ante su lectura comenté en *Triunfo*: 'Cuando Mihura me
> dijo en una entrevista que todavía faltaba mucho para que su
> obra fuese considerada una obra normal en España, pensé
> que a Miguel le importaba buscar una justificación —aun a
> sabiendas de que era falsa— a su último y más blando teatro.'
> Ahora he visto que no. Que Mihura tiene sus razones para
> pensar que por ahí se escandalizan con su obra...

Y el mismo José Monleón escribió en *Triunfo* a raíz de
la suspensión del estreno que impuse a Maritza:

El sábado pasado debió representarse en la Comedia *Tres sombreros de copa*. No fue posible porque Mihura, amigo de cuidar la puesta escénica de sus obras, quiso aprovechar la oportunidad para ofrecer una nueva versión de su obra. Por de pronto la época de su acción sufrirá un cambio. Los trajes del veintitantos ayudan a una dimensión de dulce fantasmagoría, que él quiere evitar. Y además no favorecen a las muchachas demasiado lánguidas y lejanas con aquellas ropas de álbum viejo y agotado. Mihura quiere que el espectador entienda las pasiones de los personajes sin tener constantemente la impresión de que penetra en un pasado. También el texto ha sufrido cortes radicales y abandona muchos de sus chistes. Mihura, frente a su obra más interesante —las últimas de él son mucho más inteligentes, pero mucho menos geniales— ha adoptado una severa actitud de crítico. En definitiva, es síntoma de un ejemplar sentido de la responsabilidad. Esperemos el resultado de su 'intervención'.

La noche de la reposición de la obra —a los tres días de la fecha en que estaba prevista— y como ya era habitual en los estrenos y en las primeras representaciones, constituyó un gran éxito para todos.

Y, al azar, recojo tres párrafos de algunas de las críticas que obtuvo, especialmente en aquellos puntos que se referían a las modificaciones que introduje en la pieza.

Monleón escribía en *Triunfo*

Tal y como estaba previsto la versión abandonó bastante de sus frases sorprendentes. Quizá para bien. Porque se mantiene la fuerza del contraste y la pieza resulta más espontánea, una vez desprovista de ciertas ocurrencias cerebralmente disparatadas.

Nicolás González Ruiz, escribía en *Ya*:

... En esta ocasión Miguel Mihura, a mi juicio con acierto, ha decidido realizar en la comedia un cierto desmoche de lo más descaradamente codornicesco, estimándolo cosa pasada, dejando en pie lo que en la pieza hay de ternura, de humanidad y de poesía.

Y Fernando Castán Palomar, en *Dígame*, opinaba de este modo:

... La obra ha aparecido esta vez sin el lastre de algunos de los 'golpes de nuevo humor' con que fue estrenada. Mihura ha entendido que aquel humor está ya un poco fuera de circulación y, sin duda, con buen criterio lo ha raspado bastante. Indudablemente la comedia se ha jerarquizado al quitarle algunas extravagancias y así lavada permite apreciar mejor sus auténticos valores, los que no son mutables, los que no están sujetos a modas y circunstancias. La decisión del autor haciendo que la obra no se fosilice constituye un acierto.

Lo cual quería decir que yo tenía razón. Que mis ideas sobre la obra no eran desacertadas.

De todos modos la pieza duró en la *Comedia* treinta días y hubo que quitarla por falta de público.

* * *

¿Qué pasó con *El caso de la señora estupenda* y *Una mujer cualquiera* mis dos obras comerciales y de las que he hablado tan extensamente? Antes de terminar este capítulo dedicado a *Tres sombreros de copa*, conviene que cuente el desenlace de las comedias mencionadas ya que del resultado del estreno de estas dos obras dependía que yo siguiese el camino iniciado con *Tres sombreros de copa*, del que ya sabía el resultado —mucho éxito y poco dinero—, u olvidase este estilo definitivamente y siguiera el rumbo que me había marcado con anterioridad.

Una noche, a mediados de enero del 53, al salir de un cine y bajo una lluvia torrencial me encontré con Cayetano Luca de Tena, que me estaba esperando, bajo su paraguas.

—Me han dicho que venías a este cine. Y aquí me tienes esperándote. Sé que tienes libre la comedia que estabas ensayando con Conchita Montes y quiero que me la leas esta misma noche. La obra que tengo en el *Alcázar* va muy mal y necesito estrenar inmediatamente.

Me lo llevé a casa. Le leí la comedia. Le encantó. Al día siguiente fue la lectura a la Compañía y a todos les gustó muchísimo. Inmediatamente empezaron los ensayos con un estupendo reparto, y el 6 de febrero, ante un público expectante que llenaba el teatro se estrenó la obra. El éxito fue rotundo. Y donde más se rió el público fue en aquellas escenas que todo el mundo me había dicho que arreglase y que por supuesto yo no había tocado.

El teatro, que iba tan mal con la anterior comedia, empezó a llenarse y pasados quince días me acerqué por allí, me senté en el patio de butacas y presencié algunas escenas de la obra. Con gran sorpresa mía algunos espectadores, descontentos, metían los pies. Más claro; meneaban.

Seguí viendo la comedia y me di cuenta de la razón de este descontento. Los actores exageraban. Se hacían los graciosos. El día del estreno todos estuvieron bien y comedidos porque se les marcó el matiz, el tono y el gesto. Pero estas cosas las tenían prendidas con alfileres ya que no se les había explicado a fondo la razón imprescindible de ese tono, ese gesto y ese matiz. Y cuando unos actores cambian la obra que representan ya no hay modo de meterlos en vereda.

Empezó a ir poco público. Y el 10 de marzo la quitaron del cartel. Sin siquiera avisarme, siguiendo los modos y maneras que tanto se llevan en el teatro. Querían ir a provincias con la obra pero me negué. Me había vuelto un autor incómodo y exigente. Defendía con los dientes lo que tanto me había costado conseguir.

Mientras tanto la censura había prohibido *Una mujer cualquiera* y hubo que hacer mil gestiones para que nos la dejara representar con algunos cortes. Era la época en que la palabra «pierna» no se podía decir en un escenario, si esa pierna, naturalmente, era de mujer.

Y bajo la dirección de Luis Escobar y la interpretación de la gran actriz Amparo Rivelles se estrenó la obra en el *Reina Victoria*, el día 4 de abril. Constituyó un gran éxito que fue aumentando en sucesivas representaciones y duró mucho tiempo en el cartel. Batió la recaudación de taquilla que hasta entonces se había hecho en aquel teatro. Empecé a ganar dinero de verdad.

Amparo Rivelles, que estaba enamorada de *El caso de la señora estupenda* me la pidió para provincias y esta vez, bajo mi dirección, se montó la obra. Como caso curioso diré que con esta nueva puesta en escena era ya la cuarta compañía que había ensayado la obra. Y con las dos comedias, *la estupenda y la cualquiera,* Amparo hizo una gira triunfal por provincias.

Pero mi éxito grande, el que me decidió por fin a seguir haciendo el teatro que yo quería, el teatro no «codornicesco» ni de vanguardia pero tampoco sin demasiadas concesiones, con humanidad, con ternura, con observación de personajes, con diálogo de calidad, sin pedanterías, humorístico y no arbitrario fue *A media luz los tres, (Piso de soltero)* que se estrenó bajo mi dirección en el Teatro de la Comedia el día 25 de noviembre de 1953 por la Compañía de Conchita Montes. Un año después exactamente del estreno de *Tres sombreros de copa.* Y una obra cuyo tercer acto —el mejor— escribí en cuatro horas en un hotel de San Juan de Luz, que fue prohibida totalmente por la censura durante tres meses y que indudablemente me consagró como autor al que todos entienden. Había encontrado por fin, el estilo que yo buscaba. Lo malo era que esta consagración llegaba un poco tarde. Tenía exactamente cuarenta y ocho años. Muchos años ya para dedicarse de lleno al teatro. Pero continué en él.

Y seguí estrenando obras —unas mejores y otras peores— con el mismo resultado optimista que ensalzaban el público y la crítica. Pero los eruditos, los ensayistas, seguían hablando de *Tres sombreros de copa.* Ricardo Doménech, el gran crítico, escribió en el año 59 en la revista *Fotogramas* un largo artículo en el que después de volver a analizar la obra y ensalzarla y mostrar su entusiasmo por ella, terminaba así:

... Miguel Mihura nos hace pensar en lo que podría haber entregado, de haber sido fiel a su talento, de haber renunciado momentáneamente al aplauso de un público burgués que ha encumbrado sus peores piezas. Yo, personalmente, me lamento de que haya sucedido así. Es —creo— una pérdida irreparable para su autor y para nuestro teatro.

Y yo contesté a este artículo con otro, que no recuerdo donde se publicó, ni siquiera si se publicó, cuyo texto reproduzco:

A estas alturas, después de haber transcurrido veintisiete años desde que escribí *Tres sombreros de copa,* yo no sé, realmente, si es una comedia buena o mala. Lo que es evidente es que después de ser estrenada por el TEU bajo la estupenda dirección de Pérez Puig, unos días más tarde, al ser explotada comercialmente, al público habitual del teatro no le gustó ni pizca. Y yo, modestamente y guardando todos los respetos la escribí para que le gustase al público. Pero no a una minoría. A todos. A los de arriba y a los de abajo. Porque creo que ya he dicho en alguna ocasión que al escribir esta comedia yo no pretendía renovar el teatro, ni renovar el humor, ni renovar nada. Y que si me salió así es porque yo era así; porque en aquella época ésta era mi forma de pensar y de sentir.

Existía, pues, un error por mi parte, al no conseguir lo que me había propuesto que era estrenar mi obra pronto y que al público le gustase. Como no fue así, yo creo honestamente y con todos los respetos debidos que no debo sentirme demasiado orgulloso por haber escrito esta obra tan bonita y tan nueva. Y que los que pretenden que mi obligación era seguir escribiendo obras como ésta es que indudablemente me tienen una cierta manía o por lo menos van con mala idea.

Porque la pérdida irreparable para nuestro teatro en España se hubiera producido al insistir yo en escribir obras como *Tres sombreros de copa*. Pérdidas irreparables para las empresas, para las compañías y desde luego para mí que únicamente vivo del teatro. En cuanto a los elogios que los críticos jóvenes y algunos maduros han dedicado, dedican y dedicarán a *Tres sombreros de copa* yo los agradezco profunda y emocionadamente pero considero injusto que para ensalzar la obra sin éxito de público de un autor, tengan que menospreciar aquellas otras obras que lo han alcanzado. Obras que, con mayor o menor fortuna, siguen, más o menos, veladamente, la misma línea de mi primera comedia, mi misma manera de pensar, mi misma manera de ser. La de ocultar mi pesimismo, mi melancolía, mi gran desencanto por todo, bajo un disfraz burlesco.

Claro está que los años van dejando huella, y ahora —más sereno, más sincero también, menos vergonzoso con mis sentimientos— procuro que mi disfraz tenga los menos colorines y cintajos posibles, que es, lo que a mi juicio, le sobra a *Tres sombreros de copa* y lo que impide al público ver limpia y normalmente a sus personajes. Sin tapujos. Sin disimulos. Sin tonterías. Tal como son. Tan ridículos y tan tristes.

También es posible que los críticos jóvenes estén en lo cierto y yo me vaya aburguesando y haciéndome viejo. Es lógico.

Son los años. Pero no tan viejo y tan burgués como para dejar de luchar como siempre he luchado —desde la prensa, el cinematógrafo y el teatro— contra el eterno tópico, contra la retórica, contra el lugar común, venga de un bando o de otro bando. De esto es de lo que me considero orgulloso.

Creo que este artículo lo escribí en el año 1959. Ahora, en 1975, con dieciséis años más sobre mis espaldas no sé qué pensar de todo ello. No sé si tenía razón o no. Lo que sí sé es que nunca más intenté escribir otra obra del tipo de *Tres sombreros de copa*. Me habría salido mejor o peor. Pero la hubiera escrito. El procedimiento para mí no me podía resultar difícil. Era lo mío. Si no lo hice sería por algo. ¿Por ese algo que he contado tan extensamente a lo largo de estas cuartillas? ¿Por resentimiento? ¿Por indiferencia? No lo sé. Y el caso es que tampoco me importa gran cosa saberlo.

II. MARIBEL Y LA EXTRAÑA FAMILIA

En el año 1956 proyecté un negocio teatral a base de una pareja de actores argentinos —marido y mujer— que actuaban con gran éxito en Madrid. Para la formación que pensaba hacer necesitaba otra actriz con acento más o menos sudamericano para que no hubiese disonancias con la pareja argentina.

Mi agente buscó en sus archivos y me enseñó la fotografía de una actriz vocacional venezolana que vivía en París y que, por la edad y el físico me pareció bien para el papel que debía encomendarle.

Se le escribió dándole cuenta del proyecto y, sin más, se presentó en Madrid. Tuve una entrevista con ella en el bar del Hotel Palace, donde se hospedaba y hablamos un buen rato de mi proyecto, de los suyos, y de otras cosas en general. Era culta, tenía clase, vestía bien, y parecía estar en una bonísima situación económica. Y tenía —además de un «Mercedes», con el que había venido a Madrid— una gran afición al teatro. Lo único malo era que había estudiado arte dramático en Nueva-York, París y Londres y que le gustaba *Medea*.

—Bueno —pensé—. Pero estos son pequeños defectos que a la larga siempre tienen arreglo.

Esta actriz intelectual era Maritza Caballero.

El proyecto mío, por diversas causas, no se llevó a cabo y ella se quedó ya en Madrid. Nos vimos un par de veces más y al cabo del tiempo me pidió autorización —que le di— para llevar en su repertorio *Tres sombreros de copa* en una larga gira que pensaba hacer por toda España con una comñía que estaba formando.

Pasado un año me pidió una nueva autorización para presentarse en el Teatro de la *Comedia* de Madrid con mi obra y surgió el incidente que ya he explicado en el capítulo anterior dedicado a *Tres sombreros de copa*. Como mujer educada, fina y con clase encajó el golpe con docilidad y respeto y el asunto terminó haciéndonos muy buenos amigos.

Nos seguíamos viendo de vez en cuando y la primavera del 58 me pidió tímidamente que le escribiese una comedia. Lo de todas. La gracia de siempre. En aquella época me pedían comedias como si fuesen cigarrillos. Me explicó muy ilusionada que estaba haciendo gestiones para quedarse con un teatro en Madrid y que nada en el mundo le podría causar más entusiasmo que debutar con una obra mía.

No le dije que sí ni que no. Cambié de conversación. Pero una vez ya solo me puse a reflexionar y comprendí que —como hombre de bien— le debía una compensación por haber llevado *Tres sombreros de copa* por provincias jugándose la cara y el dinero. Y por los disgustos y los gastos «extras» que le había ocasionado al pretender presentarse en la *Comedia* con la misma obra, que no estaba a mi gusto.

Por otra parte llevaba ya seis obras seguidas escritas a la medida de sus intérpretes y estaba ya un poco harto de este sistema de alta costura.

Esto de escribir obras a la medida fatiga un poco y le quita a uno inspiración y libertad de movimientos. Por un lado el trabajo es más fácil porque al tener ya un maniquí y saber sus virtudes y sus defectos no queda más que hacerle la ropa y vestirla. Pero por más que se cambien el color de las telas y se modifiquen las formas del vestido, el maniquí siempre es el mismo y el autor termina por repetirse. Y, además, en estas obras a la medida sólo puede lucirse el actor o la actriz a quienes va destinada y generalmente no admiten que haya otros papeles buenos para que se luzcan los demás.

Después de *A media luz los tres,* que la escribí sin pensar en nadie y la prueba es que lo mismo le iba a Fernán-Gómez que a Conchita Montes, escribí *El caso del señor vestido de violeta* por encargo y a la medida de Fernán-Gómez. Y del mismo modo *¡Sublime decisión!*, *La canasta, Carlota* y *Melocotón en almíbar* para Isabel Garcés. Igual que escribí *Mi adorado Juan* por encargo y a la medida de Alberto Closas.

Con Maritza no había problemas de escribir una obra a la medida puesto que no sabía su talla. La había visto solamente en su interpretación de *Tres sombreros de copa* y esto no era bastante para juzgar su cuerda. Lo único que hacía falta era escribir una pieza en la que una actriz tuviese un papel lucido, y esto para mí no era difícil puesto que los papeles de mujer siempre han sido mi especialidad.

Así es que le dije a Maritza que le escribiría la obra siempre que me diese un mes de plazo para ver si se me ocurría algún tema.

Y me puse a pensar en alguno sin que se me ocurriese absolutamente nada, como en mí es frecuente, y que no me extrañó en absoluto. Idear una comedia, crear una situación es para mí lo único difícil. Escribirla, en cambio, es un juego de niños. Por eso casi siempre empiezo a escribir sin tener completo un argumento.

Recordé entonces que hacía tiempo tenía dos ideas apuntadas en un cuaderno, más o menos autobiográficas, como ocurre siempre en mi teatro, y que madurándolas un poco quizá pudieran servir para escribir dos obras. Y una de ellas podría ser la de Maritza.

En cierta ocasión que llevé una golfita a mi piso de soltero —puesto que yo soy verdaderamente soltero y vivía en un verdadero piso— la chica me preguntó en el ascensor:

—Vivirás solo, ¿no?

Porque estas chicas temen que estos pisos sean algo así como picaderos —que los franceses llaman «garçonnière»— en donde se reúnen amigos con lo que siempre pueden surgir problemas.

Y a la pregunta de la golfita le contesté gastándole una broma:

—No. No vivo solo. Vivo con mi tía.

Y la chica se echó a reír.

Con lo que mi apunte en el cuaderno decía así: «Un señor cita en su casa a una putita que conoce en un bar. La chica va al piso a cumplir con su obligación y resulta que de repente el señor le presenta a su madre y a su tía.»

Y nada más.

El lector no debe extrañarse que con tan poca cosa se pueda pensar en escribir un espectáculo de cerca de dos horas de duración, pero, como ya he apuntado antes, yo las he escrito con ideas menos extensas y brillantes.

Y la otra «idea» que tenía apuntada en el mismo cuaderno decía así: «Un señor que le tiene puesto un piso a una amiguita y se cansa de ella y la quiere dejar. Pero ella inventa varios trucos para que no la deje.»

Sin embargo ninguna de las dos ideas me acababan de convencer y decidí pensar otro argumento más completo para que al escribirlo no me costase tanto trabajo. Y le dije a Maritza:

—Yo me voy el mes de junio, como todos los años, a San Juan de Luz. Allí pensaré la obra y a primeros de julio estaré aquí de vuelta. Como supongo que ya tendré la idea, firmas el contrato con el teatro y debutamos en septiembre.

—Pero ¿y si no se te ocurre la idea?

—Entonces debutas con *Medea*, que tanto te gusta.

En San Juan de Luz no se me ocurría nada por más vueltas que le daba a la cabeza y volví a pensar como recurso en las dos ideas que ya tenía.

Y una noche, cenando con uno de mis mejores amigos, el crítico de cine Alfonso Sánchez, le di cuenta de mis problemas y le conté mis dos argumentos.

Se quedó un poco asombrado de lo breves que resultaban.

—Pero ¿no tienes nada más pensado?

—No. Nada más. ¿Cuál te parece el mejor?

—Pues así, al pronto, no sé qué decirte. Yo creo que da igual uno que otro. Pero empieza por el primero que me has contado y así, al menos, te ahorras un nuevo quebradero de cabeza.

Había elegido *Maribel*. [9]

Cuando llegué a Madrid le conté a Maritza la idea, ya un poco ampliada aunque no demasiado. Porque si al empezar una obra yo supiese todo lo que va a suceder en ella e incluso tuviese previsto el desenlace, yo me aburriría escribiendo mucho más de lo que me aburro con este sistema que empleo. El no saber nunca lo que va a pasar, el sorprenderme a mí mismo cuando ocurre algo que yo no esperaba, es lo único que encuentro divertido en este oficio. Y creo que si mi teatro tiene algún valor es porque estas sorpresas que yo me llevo, son las mismas que se lleva el público. Sorpresas siempre espontáneas, auténticas, verdaderas, posibles y nunca calculadas o forzadas.

Maritza, aunque recelosa por lo poco que le contaba de la obra, se puso muy contenta y me dijo que me pusiera a escribir en seguida mientras ella se dedicaba a hacer las gestiones necesarias con el teatro.

Durante un par de días maduré un poco más el primer acto. Siempre he rehuido esas obras con antecedentes en las que hay que explicar una historia pasada o qué problemas tienen los personajes que van a salir a escena. Prefiero que los personajes se presenten ellos mismos. Pero tal como yo tenía pensada la entrada de Marcelino y Maribel, los antecedentes me eran necesarios. Y entonces se me ocurrió la idea de la visita alquilada, a la que se paga una cantidad, con lo cual las viejas —además de presentarse ellas mismas— podían explicar todo lo que quisieran, ya que al mismo tiempo había situación y sorpresa final.

En quince días —trabajando de seis a nueve de la tarde, porque si trabajo más me canso— terminé el primer acto. Como es mi costumbre ya había hecho un boceto del decorado. Puerta a la izquierda. Puerta al fondo que da al

---

[9]   Con el otro asunto, tres años más tarde, escribí *Las entretenidas* que se estrenó con gran éxito en el Teatro de la Comedia de Madrid y después recorrió toda España y la América de habla española, con el mismo resultado.

recibimiento y al resto de las habitaciones. Y mirador a la derecha con la cotorra y los pájaros. Y en el mismo boceto había situado los muebles necesarios para saber ya dónde estarían colocados los personajes. Esto, después, siempre me facilitaba la puesta en escena pues mientras escribo sé dónde van a estar situados los actores y cómo se va a desarrollar la acción.

Le leí el acto a Maritza, a la que le pareció muy bien, y le encargué el decorado a Sigfrido Burman, ateniéndose a mi boceto. También pensamos en los posibles actores y actrices que podrían contratarse para este primer acto y se dio el original a una copista para que hiciese los ejemplares necesarios.

A todo esto era el 30 de julio, y como andábamos bastante escasos de tiempo, el 4 de agosto empecé el segundo acto. A la mitad tuve un bache, me atranqué y no sabía por dónde tirar. Y de repente me acordé del boceto del decorado que había hecho y en el que figuraba una puerta a la izquierda que le encargué a Burman que fuese practicable. Esta puerta —que ya había olvidado— no había sido utilizada ni en el primer acto ni en lo que llevaba escrito del segundo. Y entonces se me ocurrió sacar por ella un nuevo personaje: el administrador. Este personaje me dio la clave para terminar en pocos días el segundo acto. Este segundo acto que, como se ve, fui improvisando mientras escribía inventando nuevas situaciones, nuevas sugerencias y creando galerías subterráneas y misteriosas por si me servían para posibles soluciones.

Y comprometiéndome seriamente con la frase final de doña Paula que dice: «Tengo entendido que es muy hermoso... Y además tiene un bonito nombre... Le llaman 'el lago de las niñas malas'»...

¿Por qué el lago de las niñas malas? ¿A qué venía eso? ¿En qué lío me había metido? La frase era bonita. El final del acto resultaba perfecto e inquietante. ¿Pero qué podía inventar yo para justificar eso del lago de las niñas malas? La verdad es que no tenía ni idea. Yo mismo, tontamente, me había metido en un tremendo laberinto.

Esta es mi manera de trabajar y no lo sé hacer de otra

manera. Sin red. Con peligro. Y al terminarlo, el 15 del mismo mes, me di cuenta que el tercer acto debía trascurrir en la fábrica de Marcelino y le encargué a Burman otro decorado, sin la puerta secreta, truco que se me ocurrió mientras escribía.

Y con mi supervisión se fue contratando a la compañía, no sin dificultades, pues ya teníamos a casi todos los actores, menos a la pareja que en el primer acto hacía de visita.

Estos papeles no tenían dificultad. Apenas hablaban. Pero por eso, justamente, es por lo que quería que tuviesen cara de «visita», pues parece que no pero hay personas que tienen cara de «visita» —aunque no estén de visita— y otros que no la tienen aunque lo estén.

El representante hacía desfilar ante mí una serie de parejas de actores de la edad aproximada a la que yo quería, pero sin tener cara de «visita». La tenían de tertulia de café, de chismosos, de solitarios, de espectadores de cine, pero no de visita.

—¡Qué me traigan otros! ¡Éstos no tienen cara de visita!

Y al fin cayó por allí una pareja como yo deseaba. Con cara de escuchar atentamente, pero sin importarle demasiado, todo lo que se les dice.

Y el día 29 de agosto, sin tener idea de lo que iba a suceder en el acto tercero empecé a ensayar y montar por las tardes los dos primeros actos, mientras por las mañanas —saltándome mis costumbres de horarios de trabajo— escribía el acto que me faltaba. El más difícil. Y el que tenía que escribir más rápidamente pues la fecha de estreno se nos echaba encima.

Mientras tanto, en la calle, en el mundillo teatral, los comentarios eran pintorescos. Nadie se explicaba, que yo, que por aquella época tenía a mi disposición todos los teatros y todas las compañías más importantes, estrenase una obra en el Teatro Beatriz, un teatro muy mono, pero muy difícil de animar, ya que de vez en cuando daban temporadas de cine con lo que despistaban al público. Y además de las dificultades del teatro, llevase de protagonista a una actriz virtualmente desconocida por lo que me jugaba la suerte de la comedia con estos dos factores contrarios. Aparte de otras

cosas, se habló de que Maritza me había dado una buena
cantidad de dinero para que le escribiese la obra. Tuve que
desmentir tales rumores y bulos, que no eran ciertos. Y que
me estimulaban aún más para conseguir una obra de éxito.

Y con mucha dificultad escribí el tercer acto, que no me
gustó nada. Se lo leí a Maritza y a mi hermano Jerónimo
que estuvieron de acuerdo conmigo. El acto tercero bajaba
mucho con respecto a los anteriores.

—Hay que romperlo —dije.

—Pero ¿no lo puedes arreglar? —preguntó Maritza.

—No. Esto no tiene arreglo. Debo escribir un acto tercero
completamente diferente.

Quedamos desolados. Según contrato firmado con el
teatro debíamos debutar en una fecha exacta. Creo recordar
que hacia el 20 de septiembre. Estábamos a 14. La compañía ya se sabía perfectamente los dos primeros actos que
yo había puesto en escena con todo lujo de detalles para
entretenerlos mientras me llegaba la inspiración. En el teatro,
mi primera actriz y empresaria de Compañía, los actores
y las actrices y por supuesto la empresa del local estaban
bastante asustados. Debo confesar que yo también. El
gasto estaba hecho. Los decorados terminados. Los con-
tratos con los actores. Los anticipos. La ropa. Todo esto
significaba mucho dinero y el responsable de que se perdiera
era sólo yo. Y a mí no se me ocurría el tercer acto.

Me llamó Maritza por teléfono.

—¿Qué haces?

—Intento trabajar.

—Déjalo. Y vamos por ahí a cualquier parte para entre-
tenernos.

Nos fuimos al cabaret *Casablanca*. Hablamos de todo
menos de la obra. Nuestro miedo nos hacía rehuir este
tema tan desolador. Al cabo de un par de horas la dejé en
su casa. Y con una sonrisa se despidió:

—No te preocupes. Ya te saldrá. Y arreglaremos el retraso de algún modo.

Y efectivamente me salió aquella misma noche, después
de estas horas en *Casablanca* que me despejaron la cabeza.

El motivo de haber fallado mi tercer acto, escrito, además

con esfuerzo, radicaba en dos hechos bien simples. En primer lugar el cambio de decorado, que siempre desconcierta cuando se ha acostumbrado uno a un ambiente, a un clima, a una atmósfera bien definida. Y en segundo lugar, el más importante, es que tal como lo había escrito, no volvían a salir a escena las tres *cabecitas locas* ni las dos viejas.

Y estos cinco personajes, que yo había empezado a escribir como tipos episódicos, durante los ensayos habían ido tomando tanta vida, tal fuerza cómica y humana, tal sinceridad, que era imposible dejarlos fuera en el último acto.

A partir de mi cuarto estreno, nunca he tenido por costumbre escribir la obra completa antes de ponerme a ensayar los primeros actos. Por un lado creo que tener la obra completamente terminada me da mala suerte. Y por otro, como también es mi costumbre dirigir mis propias comedias, durante los ensayos rectifico, quito y pongo, añado o corto, y si una actriz o un actor están bien en los actos primeros me las arreglo para que salgan también en el tercero aunque no haya necesidad. Pero si están mal, sin piedad ninguna, ideo cualquier cosa para que no vuelvan a salir a escena.

Son, pues, los actores y los personajes que representan los que me van dando la pauta para llegar al final preciso. Yo lo único que hago al principio es meterlos en una situación y dejar al final que ellos mismo se las arreglen.

En esta ocasión, con las prisas, no me había dejado guiar por ellos y éste fue mi error.

Llamé a Maritza y le dije:

—Ya está todo solucionado. Puedes anunciar el estreno para el día veintinueve.

Me puse a escribir como un loco por la mañana, por la tarde y por la noche. Sin saber dónde iba a ir a parar, pero en plena inspiración. De mi pluma iban fluyendo, como si me dictasen, palabras, situaciones y sorpresas. Mientras escribía se me ocurrió el truco de la puerta secreta —que lo mismo que a mí hizo gracia al público— y hasta la justificación de esa puerta. En cuatro días terminé el nuevo tercer acto. En otros cuatro lo ensayé y lo puse en escena. Y la obra se estrenó el 29 de septiembre, que es el día de mi santo.

Fue uno de mis mayores éxitos de público, de crítica y de permanencia en el cartel. Hubo señoras que vieron la obra doce veces... Mientras se representaba en Madrid, formé otra compañía encabezada por María Fernanda D'Ocón para representarla en provincias. Se sobrepasaron las mil representaciones que en aquellas fechas era todo un «record». Se le concedió el Premio Nacional de Teatro. Se hizo una película con la obra. Me llamaron de Bruselas para estrenarla en francés bajo mi dirección. Y en el Theatre de Pôche donde se representó y cuyos estrenos estaban siempre programados para quince días —así ocurrió con *Tres sombreros de copa* dos años antes— *Maribel* duró un año, alternándola de vez en cuando con otras comedias ya comprometidas.

Era una comedia que me había salido con una exactitud cronométrica, y sin ninguna pieza que fallase. El público se reía, se emocionaba, se intrigaba siempre en aquellas escenas en que se tenían que reír, que intrigar y que emocionar. Lo mismo en Madrid que en Bilbao. Lo mismo en el Este que en el Oeste. Lo mismo en el Norte que en el Sur. Lo mismo en España que en Bélgica y que en todos los países —doce o catorce— en que se empezó a representar. Igual el público de butacas que de palcos o de anfiteatros. Lo mismo los ricos que los pobres.

Creo firmemente que *Maribel* ha sido mi obra más conseguida. Yo, al menos, estoy muy contento de haber escrito esta comedia.

MIGUEL MIHURA

Miguel Mihura.

NOTICIA BIBLIOGRÁFICA

A) *Tres sombreros de copa*

Tres sombreros de copa (Premio Nacional de Teatro), junto a *Ni pobre ni rico, sino todo lo contrario*, en colaboración con «Tono», y *El caso de la mujer asesinadita*, en colaboración con Álvaro de la Iglesia. Madrid, 1947.

Teatro español 1952-53. Madrid, Aguilar, 1953. Madrid, Escelicer, 1953, Col. «Teatro», núm. 51.

Obras completas de Miguel Mihura. Introducción de Edgar Neville. Prólogo del autor. Barcelona, Editorial AHR, 1962.

Miguel Mihura. Teatro. Madrid, Taurus, Col. «El Mirlo Blanco», 1965.

Teatro selecto de Miguel Mihura. Madrid, Escelicer, 1967.

Miguel Mihura. Obras selectas. Introducción de F. C. Sáinz de Robles. Prólogo del autor. Barcelona, Editorial Carroggio, 1971. Madrid, Anaya, 1972. Introducción de J. Rodríguez Padrón. Madrid, Espasa-Calpe, Col. «Austral», núm. 1537, 1973.

Teatro de Miguel Mihura. Madrid, Gregorio del Toro Editor, 1974.

Traducciones

Al francés: *Les trois chapeaux claque*. Trad. de Helène Duc. París, («L'Avant-Scéne», núm. 191), 1959.

Al portugués: *Os tres chapeus altos*. Prefacio de E. Ionesco. Trad. de V. Barros Queiroz. Lisboa, Edit. Minotauro, 1962.

Al sueco: *De tres Klaphate*. Trad. de Cha Ludvigsen. Estocolmo, 1964.

Al inglés: *Three top hats*. Trad. de M. Cobourn Wellwarth. New York, Dutton, 1968.

B) *Maribel y la extraña familia*

Revista *Primer Acto*, núm. 10. Madrid, 1959.

Madrid, Escelicer, 1960, Col. «Teatro», núm. 252.

Madrid, Rivadeneyra, 1960. Prefacio de Alfredo Marqueríe y Adolfo Prego.

Teatro español 1959-60. Madrid, Aguilar, 1961.

Obras completas de Miguel Mihura. Barcelona, Editorial AHR, 1962.

Teatro selecto de Miguel Mihura. Madrid, Escelicer, 1967.

Miguel Mihura. Obras selectas. Introducción de F. C. Sáinz de Robles. Prólogo del autor. Barcelona, Editorial Carroggio, 1971.

Madrid, Espasa-Calpe, Col. «Austral», núm. 1537, 1973.

El teatro hispánico. Three Contemporary Plays Intermediate Students of Spanish. Ed. by Mary Jackson. National Texbook. Skoki, Illinois, 1973.

Teatro de Miguel Mihura. Madrid, Gregorio del Toro Editor, 1974.

BIBLIOGRAFIA SELECTA

A) *Libros sobre el autor*

Ponce, Fernando: *Miguel Mihura*. Madrid, E.P.E.S.A., 1972.
Miguel Mihura. Teatro. Madrid, Taurus (Col. «El Mirlo Blanco»),
    1965. Contiene documentación y estudios de José Monleón,
– Gonzalo Torrente Ballester, Enrique Llovet, Eugène Ionesco,
    Ricardo Doménech, Wenceslao Fernández Flórez, «Tono» y
    el propio Mihura.

B) *Libros sobre el teatro español contemporáneo*

Aragonés, Juan Emilio: *Teatro español de posguerra*. Madrid, Pu-
    blicaciones españolas, 1971, págs. 14-19.
García Lorenzo, Luciano: *El teatro español hoy*. Barcelona, Edi-
    torial Planeta, 1975, págs. 99-104.
Guerrero Zamora, Juan: *Historia del teatro contemporáneo*. Bar-
    celona, Juan Flors, III, 1962, págs. 171-178.
Molero Manglano, Luis: *Teatro español contemporáneo*. Madrid,
    Editora Nacional, 1974, págs. 98-115.
Ruiz Ramón, Francisco: *Historia del teatro español. II*. Siglo XX.
    Madrid, Cátedra, 1975, págs. 321-335.
Torrente Ballester, Gonzalo: *Teatro español contemporáneo*. Ma-
    drid, Guadarrama, 1968, págs. 439-463 y 572-579.

C) *Artículos*

Arjona, Doris K.: «Beyond Humor: The Theater of Miguel Mi-
    hura», en *Kentucky Foreign Language Quaterly*, VI, núm. 2,
    1959, págs. 63-68.

Baquero, Arcadio: «Mihura, el anarquista de la sonrisa», en *Nuestro tiempo*, XXIII, 1965, págs. 512-516.

Beardsley, Theodore S.: «The Illogical Character in Contemporary Spanish Drama», en *Hispania*, XLI, núm. 4, 1958, págs. 445-448.

Boring, Phyllips Zatlin: *The Bases of Humor in the Contemporary Spanish Theatre*. Unpublished Thesis. University of Florida, 1965.

Deuser, Barbara Ann: *Humor and Satire in the Plays of Miguel Mihura*. Unpublished Thesis. Pennsilvania State University, 1962.

Duras, Marguerite: «Marguerite Duras habla también de *Tres sombreros de copa*», en *Primer Acto*, núm. 7, marzo-abril 1959, pág. 64.

Fraile, Medardo: «Teatro y vida en España: *La camisa, La corbata* y *Tres sombreros de copa*», en *Prohemio*, I, 2, 1970, páginas 253-269.

Ionesco, Eugène: «El humor negro contra la mixtificación», en *Primer Acto*, núm. 7, marzo-abril 1959, págs. 63-64.

Laín Entralgo, Pedro: «El humor de *La Codorniz*», en *La aventura de leer*. Madrid, España-Calpe, Col. «Austral», 1946, págs. 120-133.

Lara, Fernando y Diego Galán: «Miguel Mihura burgués con espíritu de 'clochard'», en *Triunfo*, año XXVII, núm. 500, 29 abril 1972, págs. 40-43.

Llovet, Enrique: «El humor en el teatro de Miguel Mihura», en *El teatro de humor en España*. Madrid, Editora Nacional, 1966, págs. 203-214.

McKay, Douglas Rich: *The Avant-Garde Theater of Miguel Mihura*. Unpublished Dissertation. Michigan State University, 1968.

Marqueríe, Alfredo: «Miguel Mihura visto por Alfredo Marqueríe», en *Primer Acto*, núm. 10, septiembre-octubre 1959, pág. 20.

Mostaza, Bartolomé: «Miguel Mihura o la ternura inteligente», en *El libro español*, núm. 85, 1965, págs. 5-10.

Mihura, Miguel: «El teatro de Miguel Mihura visto por Miguel Mihura», en *Primer Acto*, núm. 3, 1957, pág. 12.

Monleón, José: *Treinta años de teatro de la derecha*. Barcelona, Tusquets, 1971, págs. 81-91.

Otero y Herrera, Alfredo: «Miguel Mihura precursor del teatro de lo absurdo», en *La Estafeta literaria*, núm. 400, 1968, páginas 34-35.

Pasquariello, Anthony M.: «Miguel Mihura's *Tres sombreros de copa:* A Farce to Make you sad», en *Symposium*, XXVI, 1972, págs. 57-66.

Pérez Cobas, Patricio: «El teatro de Miguel Mihura», en *Revista de la Universidad de Madrid*, XIV, 1965, págs. 221-222. Resumen de tesis doctoral.

Prego, Adolfo: «El teatro de Miguel Mihura», en *Primer Acto*, núm. 10, octubre 1959, págs. 17-19.

Seymour-Smith, Martin: *Fallen Women. A sceptical inquiry into the treatment of prostitutes, their clients and their pimps, in Literature.* London, Thomas Nelson and Sons, 1969.

Trulock, Jorge C.: «Teatro de humor: Miguel Mihura», en *La Estafeta literaria*, núm. 291, mayo 1964, pág. 25.

Valencia, Antonio: «Meaning and Motives in the Spanish Theater. The Theater of Miguel Mihura», en *Spain Today*, núm. 7, 1970, págs. 27-32.

Van Praag Chantraine, Jacqueline: «Tendencias del teatro español de hoy. El humorismo de Miguel Mihura», en *Thesaurus*, XVII, 1962, págs. 682-691.

Wofsy, Samuel A.: «La calidad literaria del teatro de Miguel Mihura», en *Hispania*, XLIII, núm. 2, 1960, págs. 214-218.

Young, R. A.: «Sobre el humorismo de Miguel Mihura», en *Quaderni Ibero-Americani*, 37, 1969, págs. 30-36, e *Hispanófila*, 36, págs. 21-29.

NOTA PREVIA

No existen diferencias entre la primera y las siguientes ediciones de las obras incluidas en este volumen. Ofrecemos, pues, los textos corrigiendo las erratas deslizadas en ediciones anteriores

M. M.

TRES SOMBREROS DE COPA

COMEDIA EN TRES ACTOS

Original de

MIGUEL MIHURA

(Premio Nacional de Teatro, 1959)

Esta obra fue presentada por el T. E. U. de Madrid
en el Teatro Español, el día 24 de noviembre de 1952

PERSONAJES

PAULA	DON ROSARIO
FANNY	DON SACRAMENTO
MADAME OLGA	EL ODIOSO SEÑOR
SAGRA	EL ANCIANO MILITAR
TRUDY	EL CAZADOR ASTUTO
CARMELA	EL ROMÁNTICO ENAMORADO
DIONISIO	EL GUAPO MUCHACHO
BUBY	EL ALEGRE EXPLORADOR

La acción en Europa, en una capital de provincia
de segundo orden

Derechas e izquierdas, las del espectador

ACTO PRIMERO

HABITACIÓN de un hotel de segundo orden en una capital de provincia. En la lateral izquierda, primer término, puerta cerrada de una sola hoja, que comunica con otra habitación. Otra puerta al foro que da a un pasillo. La cama. El armario de luna. El biombo. Un sofá. Sobre la mesilla de noche, en la pared, un teléfono. Junto al armario, una mesita. Un lavabo. A los pies de la cama, en el suelo, dos maletas y dos sombrereras altas de sombreros de copa. Un balcón, con cortinas, y detrás el cielo. Pendiente del techo, una lámpara. Sobre la mesita de noche, otra lámpara pequeña

(Al levantarse el telón, la escena está sola y oscura hasta que, por la puerta del foro, entran Dionisio y don Rosario, que enciende la luz del centro. Dionisio, de calle, con sombrero, gabán y bufanda, trae en la mano una sombrerera parecida a las que hay en escena. Don Rosario es ese viejecito tan bueno de las largas barbas blancas.)

DON ROSARIO. Pase usted, don Dionisio. Aquí, en esta habitación, le hemos puesto el equipaje.

DIONISIO. Pues es una habitación muy mona, don Rosario.

DON ROSARIO. Es la mejor habitación, don Dionisio. Y la más sana. El balcón da al mar. Y la vista es hermosa. *(Yendo hacia el balcón.)* Acérquese. Ahora no se ve bien porque es de noche. Pero, sin embargo, mire usted allí las lucecitas de las farolas del puerto. Hace un efecto muy lindo. Todo el mundo lo dice. ¿Las ve usted?

DIONISIO.   No. No veo nada.

DON ROSARIO.   Parece usted tonto, don Dionisio.

DIONISIO.   ¿Por qué me dice usted eso, caramba?

DON ROSARIO.   Porque no ve las lucecitas. Espérese. Voy a abrir el balcón. Así las verá usted mejor.

DIONISIO.   No. No, señor. Hace un frío enorme. Déjelo. *(Mirando nuevamente.)* ¡Ah! Ahora me parece que veo algo. *(Mirando a través de los cristales.)* ¿Son tres lucecitas que hay allá a lo lejos?

DON ROSARIO.   Sí. ¡Eso! ¡Eso!

DIONISIO.   ¡Es precioso! Una es roja, ¿verdad?

DON ROSARIO.   No. Las tres son blancas. No hay ninguna roja.

DIONISIO.   Pues yo creo que una de ellas es roja. La de la izquierda.

DON ROSARIO.   No. No puede ser roja. Llevo quince años enseñándoles a todos los huéspedes, desde este balcón, las lucecitas de las farolas del puerto, y nadie me ha dicho nunca que hubiese ninguna roja.

DIONISIO.   Pero ¿usted no las ve?

DON ROSARIO.   No. Yo no las veo. Yo, a causa de mi vista débil, no las he visto nunca. Esto me lo dejó dicho mi papá. Al morir mi papá me dijo: «Oye, niño ven. Desde el balcón de la alcoba rosa se ven tres lucecitas blancas del puerto lejano. Enséñaselas a los huéspedes y se pondrán todos muy contentos...» Y yo siempre se las enseño...

DIONISIO.   Pues hay una roja, yo se lo aseguro.

DON ROSARIO.   Entonces, desde mañana, les diré a mis huéspedes que se ven tres lucecitas: dos blancas y una roja... Y se pondrán más contentos todavía. ¿Verdad que es una vista encantadora? ¡Pues de día es aún más linda!...

DIONISIO.   ¡Claro! De día se verán más lucecitas...

DON ROSARIO.   No. De día las apagan.

DIONISIO.   ¡Qué mala suerte!

DON ROSARIO.   Pero no importa, porque en su lugar se ve la montaña, con una vaca encima muy gorda que, poquito a poco, se está comiendo toda la montaña...·

DIONISIO.   ¡Es asombroso!

DON ROSARIO. Sí. La Naturaleza toda es asombrosa, hijo mío. *(Ya ha dejado Dionisio la sombrerera junto a las otras. Ahora abre la maleta y de ella saca un pijama negro, de raso, con un pájaro bordado en blanco sobre el pecho, y lo coloca, extendido, a los pies de la cama. Y después, mientras habla don Rosario, Dionisio va quitándose el gabán, la bufanda y el sombrero, que mete dentro del armario.)* Ésta es la habitación más bonita de toda la casa... Ahora, claro, ya está estropeada del trajín... ¡Vienen tantos huéspedes en verano!... Pero hasta el piso de madera es mejor que el de los otros cuartos... Venga aquí... Fíjese... Este trozo no, porque es el paso y ya está gastado de tanto pisar... Pero mire usted debajo de la cama, que está más conservado... Fíjese qué madera, hijo mío... ¿Tiene usted cerillas?

DIONISIO. *(Acercándose a don Rosario.)* Sí. Tengo una caja de cerillas y tabaco.

DON ROSARIO. Encienda usted una cerilla.

DIONISIO. ¿Para qué?

DON ROSARIO. Para que vea usted mejor la madera. Agáchese. Póngase de rodillas.

DIONISIO. Voy.

(Enciende una cerilla y los dos, de rodillas, miran debajo de la cama.)

DON ROSARIO. ¿Qué le parece a usted, don Dionisio?

DIONISIO. ¡Que es magnífico!

DON ROSARIO. *(Gritando.)* ¡Ay!

DIONISIO. ¿Qué le sucede?

DON ROSARIO. *(Mirando debajo de la cama.)* ¡Allí hay una bota!

DIONISIO. ¿De caballero o de señora?

DON ROSARIO. No sé. Es una bota.

DIONISIO. ¡Dios mío!

DON ROSARIO. Algún huésped se la debe de haber dejado olvidada... ¡Y esas criadas ni siquiera la han visto al barrer!... ¿A usted le parece esto bonito?

DIONISIO. No sé qué decirle...

DON ROSARIO. Hágame el favor, don Dionisio. A mí

me es imposible agacharme más, por causa de la cintura...
¿Quiere usted ir a coger la bota?

Dionisio.   Déjela usted, don Rosario... Si a mí no me molesta... Yo en seguida me voy a acostar, y no le hago caso...

Don Rosario.   Yo no podría dormir tranquilo si supiese que debajo de la cama hay una bota... Llamaré ahora
mismo a una criada.

(Saca una campanilla del bolsillo y la hace sonar.)

Dionisio.   No. No toque más. Yo iré por ella. *(Mete
parte del cuerpo debajo de la cama.)* Ya está. Ya la he co-
gido. *(Sale con la bota.)* Pues es una bota muy bonita. Es
de caballero...

Don Rosario.   ¿La quiere usted, don Dionisio?

Dionisio.   No, por Dios; muchas gracias. Déjelo usted...

Don Rosario.   No sea tonto. Ande. Si le gusta, quédese con ella. Seguramente nadie la reclamará... ¡Cualquiera
sabe desde cuándo está ahí metida...!

Dionisio.   No. No. De verdad. Yo no la necesito...

Don Rosario.   Vamos. No sea usted bobo... ¿Quiere
que se la envuelva en un papel, carita de nardo?

Dionisio.   Bueno, como usted quiera...

Don Rosario.   No hace falta. Está limpia. Métasela usted
en un bolsillo. *(Dionisio se mete la bota en un bolsillo.)* Así...

Dionisio.   ¿Me levanto ya?

Don Rosario.   Sí, don Dionisio, levántese de ahí, no
sea que se vaya a estropear los pantalones...

Dionisio.   Pero ¿qué veo, don Rosario? ¿Un teléfono?

Don Rosario.   Sí, señor. Un teléfono.

Dionisio.   Pero ¿un teléfono de esos por los que se puede llamar a los bomberos?

Don Rosario.   Sí, Señor. Y a los de las Pompas Fúnebres...

Dionisio.   ¡Pero esto es tirar la casa por la ventana, don
Rosario! *(Mientras Dionisio habla, don Rosario saca de la
maleta un chaquet, un pantalón y unas botas y los coloca
dentro del armario.)* Hace siete años que vengo a este hotel
y cada año encuentro una nueva mejora. Primero quitó
usted las moscas de la cocina y se las llevó al comedor. Des-

pués las quitó usted del comedor y se las llevó a la sala. Y otro día las sacó usted de la sala y se las llevó de paseo, al campo, en donde, por fin, las pudo usted dar esquinazo... ¡Fue magnífico! Luego puso usted la calefacción... Después suprimió usted aquella carne de membrillo que hacía su hija... Ahora el teléfono... De una fonda de segundo orden ha hecho usted un hotel confortable... Y los precios siguen siendo económicos... ¡Esto supone la ruina, don Rosario...!

DON ROSARIO. Ya me conoce usted, don Dionisio. No lo puedo remediar. Soy así. Todo me parece poco para mis huéspedes de mi alma...

DIONISIO. Pero, sin embargo, exagera usted... No está bien que cuando hace frío nos meta usted botellas de agua caliente en la cama; ni que cuando estamos constipados se acueste usted con nosotros para darnos más calor y sudar; ni que nos dé usted besos cuando nos marchamos de viaje. No está bien tampoco que, cuando un huésped está desvelado, entre usted en la alcoba con su cornetín de pistón e interprete romanzas de su época, hasta conseguir que se quede dormidito... ¡Es ya demasiada bondad...! ¡Abusan de usted...!

DON ROSARIO. Pobrecillos... Déjelos..., casi todos los que vienen aquí son viajantes, empleados, artistas... Hombres solos... Hombres sin madre... Y yo quiero ser un padre para todos, ya que no lo pude ser para mi pobre niño... ¡Aquel niño mío que se ahogó en un pozo...! *(Se emociona.)*

DIONISIO. Vamos, don Rosario... No piense usted en eso...

DON ROSARIO. Usted ya conoce la historia de aquel pobre niño que se ahogó en el pozo...

DIONISIO. Sí. La sé. Su niño se asomó al pozo para coger una rana... Y el niño se cayó. Hizo «¡pin!», y acabó todo.

DON ROSARIO. Ésa es la historia, don Dionisio. Hizo «¡pin!», y acabó todo. *(Pausa dolorosa.)* ¿Va usted a acostarse?

DIONISIO. Sí, señor.

DON ROSARIO. Le ayudaré, capullito de alhelí. *(Y*

mientras hablan, le ayuda a desnudarse, a ponerle el bonito pijama negro y a cambiarle los zapatos por unas zapatillas.) A todos mis huéspedes los quiero, y a usted también, don Dionisio. Me fue usted tan simpático desde que empezó a venir aquí, ¡ya va para siete años!

DIONISIO. ¡Siete años, don Rosario! ¡Siete años! Y desde que me destinaron a ese pueblo melancólico y llorón que, afortunadamente, está cerca de éste, mi única alegría ha sido pasar aquí un mes todos los años, y ver a mi novia y bañarme en el mar, y comprar avellanas, y dar vueltas los domingos alrededor del quiosco de la música, y silbar en la alameda *Las princesitas del dólar...*

DON ROSARIO. ¡Pero mañana empieza para usted una vida nueva!

DIONISIO. ¡Desde mañana ya todos serán veranos para mí!... ¿Qué es eso? ¿Llora usted? ¡Vamos, don Rosario!...

DON ROSARIO. Pensar que sus padres, que en paz descansen, no pueden acompañarle en una noche como ésta... ¡Ellos serían felices!...

DIONISIO. Sí. Ellos serían felices viendo que lo era yo. Pero dejémonos de tristeza, don Rosario... ¡Mañana me caso! Ésta es la última noche que pasaré solo en el cuarto de un hotel. Se acabaron las casas de huéspedes, las habitaciones frías, la gota de agua que se sale de la palangana, la servilleta con una inicial pintada con lápiz, la botella de vino con una inicial pintada con lápiz, el mondadientes con una inicial pintada con lápiz... Se acabó el huevo más pequeño del mundo, siempre frito... Se acabaron las croquetas de ave... Se acabaron las bonitas vistas desde el balcón... ¡Mañana me caso! Todo esto acaba y empieza ella... ¡Ella!

DON ROSARIO. ¿La quiere usted mucho?

DIONISIO. La adoro, don Rosario, la adoro. Es la primera novia que he tenido y también la última. Ella es una santa.

DON ROSARIO. ¡Habrá estado usted allí, en su casa, todo el día!...

DIONISIO. Sí. Llegué esta mañana, mandé aquí el equipaje y he comido con ellos y he cenado también. Los padres me quieren mucho... ¡Son tan buenos!...

Don Rosario.   Son unas bellísimas personas... Y su novia de usted es una virtuosa señorita... Y, a pesar de ser
de una familia de dinero, nada orgullosa... *(Tuno.)* Porque
ella tiene dinerito, don Dionisio.

Dionisio.   Sí. Ella tiene dinerito, y sabe hacer unas la-
bores muy bonitas y unas hermosas tartas de manzana...
¡Ella es un ángel!

Don Rosario.   *(Por una sombrerera.)* ¿Y qué lleva usted aquí, don Dionisio?

Dionisio.   Un sombrero de copa, para la boda. *(Lo saca.)*
Éste me lo ha regalado mi suegro hoy. Es suyo. De cuando
era alcalde. Y yo tengo otros dos que me he comprado. *(Los
saca.)* Mírelos usted. Son muy bonitos. Sobre todo se ve
en seguida que son de copa, que es lo que hace falta... Pero
no me sienta bien ninguno... *(Se los va probando ante el
espejo.)* Fíjese. Éste me está chico... Éste me hace una cabeza muy grande... Y éste dice mi novia que me hace cara
de salamandra...

Don Rosario.   Pero ¿de salamandra española o de salamandra extranjera?

Dionisio.   Ella sólo me ha dicho que de salamandra.
Por cierto... que, con este motivo, la dejé enfadada... Es
tan inocente... ¿El teléfono funciona? Voy a ver si se le
ha pasado el enfado... Se llevará una alegría...

> *(El último sombrero de copa se lo ha dejado puesto
> en la cabeza y, con él, seguirá hablando hasta que se
> indique.)*

Don Rosario.   Llame usted abajo y el ordenanza le pon-
drá en comunicación con la calle.

Dionisio.   Sí, señor. *(Al aparato.)* Sí. ¿Me hace usted
el favor, con la calle? Sí, gracias.

Don Rosario.   A lo mejor ya se han acostado. Ya es
tarde.

Dionisio.   No creo. Aún no son las once. Ella duerme
junto a la habitación donde está el teléfono... Ya está.
(Marca.) Uno-nueve-cero. Eso es. ¡Hola! Soy yo. El seño-
rito Dionisio. Que se ponga al aparato la señorita Margarita. *(A don Rosario.)* Es la criada... Ya viene ella... *(Al*

aparato.) ¡Bichito mío! Soy yo. Sí. Te llamo desde el hotel... Tengo teléfono en mi mismo cuarto... Sí, Caperucita Encarnada... No... Nada... Para que veas que me acuerdo de ti... Oye, no voy a llevar el sombrero que me hace cara de chubeski... Fue una broma... Yo no hago más que lo que tú me mandes... Sí, amor mío... *(Pausa.)* Sí, amor mío... *(De repente, encoge una pierna, tapa con la mano el micrófono y da un pequeño grito.)* Don Rosario... ¿En esta habitación hay pulgas?

Don Rosario.   No sé, hijo mío...

Dionisio.   *(Al aparato.)* Sí, amor mío. *(Vuelve a tapar el micrófono.)* ¿Su papá, cuando murió, no le dejó dicho nada de que en esta habitación hubiese pulgas? *(Al aparato.)* Sí, amor mío...

Don Rosario.   Realmente, creo que me dejó dicho que había una...

Dionisio.   *(Que sigue rascándose una pantorrilla contra otra, desesperado.)* Pues me está devorando una pantorrilla... Haga el favor, don Rosario, rásqueme usted... *(Don Rosario le rasca.)* No; más abajo. *(Al aparato.)* Sí, amor mío... *(Tapa.)* ¡Más arriba! Espere... Tenga esto.

> *(Le da el auricular a don Rosario, que se lo pone al oído, mientras Dionisio se busca la pulga, muy nervioso.)*

Don Rosario.   *(Escucha por el aparato, en donde se supone que la novia sigue hablando, y toma una expresión dulcísima.)* Sí, amor mío... *(Muy tierno.)* Sí, amor mío...

Dionisio.   *(Que, por fin, mató la pulga.)* Ya está. Déme... *(Don Rosario le da el auricular.)* Sí... Yo también dormiré con tu retrato debajo de la almohada... Si te desvelas, llámame tú después. *(Rascándose otra vez.)* Adiós, bichito mío. *(Cuelga.)* ¡Es un ángel!...

Don Rosario.   Si quiere usted diré abajo que le dejen en comunicación con la calle, y así hablan ustedes cuanto quieran...

Dionisio.   Sí, don Rosario. Muchas gracias. Quizá hablemos más...

Don Rosario.   ¿A qué hora es la boda, don Dionisio?

DIONISIO.   A las ocho. Pero vendrán a recogerme antes.
Que me llamen a las siete, por si acaso se me hace tarde.
Voy de *chaquet* y es muy difícil ir de *chaquet*... Y luego
esos tres sombreros de copa...

DON ROSARIO.   ¿Me deja usted que le dé un beso, rosa
de pitiminí? Es el beso que le daría su padre en una noche
como ésta. Es el beso que yo nunca podré dar a aquel niño
mío que se me cayó en un pozo...

DIONISIO.   Vamos, don Rosario.

(Se abrazan emocionados.)

DON ROSARIO.   Se asomó al pozo, hizo «¡pin!», y acabó todo...

DIONISIO.   ¡Don Rosario!...

DON ROSARIO.   Bueno. Me voy. Usted querrá descan-
sar... ¿Quiere usted que le suba un vasito de leche?

DIONISIO.   No, señor. Muchas gracias.

DON ROSARIO.   ¿Quiere usted que le suba un poco de
mojama?

DIONISIO.   No.

DON ROSARIO.   ¿Quiere usted que me quede aquí, hasta que se duerma, no se vaya a poner nervioso? Yo me subo
el cornetín y toco... Toco «El carnaval en Venecia», toco
«La serenata de Toselli»... Y usted duerme y sueña...

DIONISIO.   No, don Rosario. Muchas gracias.

DON ROSARIO.   Mañana me levantaré temprano para des-
pedirle. Todos nos levantaremos temprano...

DIONISIO.   No, por Dios, don Rosario. Eso sí que no.
No diga usted a nadie que me voy a casar. Me da mucha
vergüenza...

DON ROSARIO.   *(Ya junto a la puerta del foro, para salir.)*
Bueno, pues si usted no quiere, no le despediremos todos
en la puerta... Pero resultaría tan hermoso... En fin... Ahí
se queda usted solito. Piense que desde mañana tendrá que
hacer feliz a una virtuosa señorita... Sólo en ella debe usted pensar...

DIONISIO.   *(Que ha sacado del bolsillo de la americana
una cartera, de la que extrae un retrato que contempla em-
belesado, mete la cartera y el retrato debajo de la almohada*

y dice, muy romántico:) ¡Durante siete años sólo en ella
he pensado! ¡Noche y día! A todas horas... En estas horas
que me faltan para ser feliz, ¿en quién iba a pensar? Hasta
mañana, don Rosario...

DON ROSARIO. Hasta mañana, carita de madreselva.

> *(Hace una reverencia. Sale. Cierra la puerta. Dioni-*
> *sio cierra las maletas, mientras silba una fea canción*
> *pasada de moda. Después se tumba sobre la cama sin*
> *quitarse el sombrero. Mira el reloj.)*

DIONISIO. Las once y cuarto. Quedan apenas nueve horas... *(Da cuerda al reloj.)* Nos debíamos haber casado
esta tarde y no habernos separado esta noche ya... Esta
noche sobra... Es una noche vacía. *(Cierra los ojos.)* ¡Nena!
¡Nena! ¡Margarita! *(Pausa. Y después, en la habitación*
de al lado, se oye un portazo y un rumor fuerte de conversa-
ción, que poco a poco va aumentando. Dionisio se incorpora.)
¡Vamos, hombre! ¡Una bronca ahora! Vaya unas horas
para reñir... *(Su vista tropieza con el espejo, en donde se*
ve con el sombrero de copa en la cabeza y, sentado en la cama,
dice:) Sí. Ahora parece que me hace cara de apisonadora...

> *(Se levanta. Va hacia la mesita, donde dejó los otros*
> *dos sombreros y, nuevamente, se los prueba. Y cuando*
> *tiene uno en la cabeza y los otros dos uno en cada mano,*
> *se abre rápidamente la puerta de la izquierda y entra*
> *Paula, una maravillosa muchacha rubia, de dieciocho*
> *años que, sin reparar en Dionisio, vuelve a cerrar de un*
> *golpe y, de cara a la puerta cerrada, habla con quien*
> *se supone ha quedado dentro. Dionisio, que la ve refleja-*
> *da en el espejo, muy azorado, no cambia de actitud.)*

PAULA. ¡Idiota!
BUBY. *(Dentro.)* ¡Abre!
PAULA. ¡No!
BUBY. ¡Abre!
PAULA. ¡No!
BUBY. ¡Que abras!
PAULA. ¡Que no!
BUBY. *(Todo muy rápido.)* ¡Imbécil!
PAULA. ¡Majadero!

BUBY. ¡Estúpida!

PAULA. ¡Cretino!

BUBY. ¡Abre!

PAULA. ¡No!

BUBY. ¡Que abras!

PAULA. ¡Que no!

BUBY. ¿No?

PAULA. ¡No!

BUBY. Está bien.

PAULA. Pues está bien. *(Y se vuelve. Y al volverse, ve a Dionisio.)* ¡Oh, perdón! Creí que no había nadie...

DIONISIO. *(En su misma actitud frente al espejo.)* Sí...

PAULA. Me apoyé en la puerta y se abrió... Debía estar sin encajar del todo... Y sin llave...

DIONISIO. *(Azoradísimo.)* Sí...

PAULA. Por eso entré...

DIONISIO. Sí...

PAULA. Yo no sabía...

DIONISIO. No...

PAULA. Estaba riñendo con mi novio.

DIONISIO. Sí...

PAULA. Es un idiota...

DIONISIO. Sí...

PAULA. ¿Acaso le han molestado nuestros gritos?

DIONISIO. No...

PAULA. Es un grosero...

BUBY. *(Dentro.)* ¡Abre!

PAULA. ¡No! *(A Dionisio.)* Es muy feo y muy tonto... Yo no le quiero... Le estoy haciendo rabiar... Me divierte mucho hacerle rabiar... Y no le pienso abrir... Que se fastidie ahí dentro... *(Para la puerta.)* Anda, anda, fastídiate...

BUBY. *(Golpeando.)* ¡Abre!

PAULA. *(El mismo juego.)* ¡No!... Claro que, ahora que me fijo, le he asaltado a usted la habitación. Perdóneme. Me voy. Adiós.

DIONISIO. *(Volviéndose y quedando ya frente a ella.)* Adiós, buenas noches.

PAULA. *(Al notar su extraña actitud con los sombreros,*

que le hacen parecer un malabarista.) ¿Es usted también artista?

Dionisio. Mucho.

Paula. Como nosotros. Yo soy bailarina. Trabajo en el *ballet* de Buby Barton. *Debutamos* mañana en el Nuevo Music-Hall. ¿Acaso usted también *debuta* mañana en el Nuevo Music-Hall? Aún no he visto los programas. ¿Cómo se llama usted?

Dionisio. Dionisio Somoza Buscarini.

Paula. No. Digo su nombre en el teatro.

Dionisio. ¡Ah! ¡Mi nombre en el teatro! ¡Pues como todo el mundo!...

Paula. ¿Cómo?

Dionisio. Antonini.

Paula. ¿Antonini?

Dionisio. Sí. Antonini. Es muy fácil. Antonini. Con dos enes...

Paula. No recuerdo. ¿Hace usted malabares?

Dionisio. Sí. Claro. Hago malabares.

Buby. *(Dentro.)* ¡Abre!

Paula. ¡No! *(Se dirige a Dionisio.)* ¿Ensayaba usted?

Dionisio. Sí. Ensayaba.

Paula. ¿Hace usted solo el número?

Dionisio. Sí. Claro. Yo hago solo el número. Como mis papás se murieron, pues claro...

Paula. ¿Sus padres también eran artistas?

Dionisio. Sí. Claro. Mi padre era comandante de Infantería. Digo, no.

Paula. ¿Era militar?

Dionisio. Sí. Era militar. Pero muy poco. Casi nada. Cuando se aburría solamente. Lo que más hacía era tragarse el sable. Le gustaba mucho tragarse su sable. Pero claro, eso les gusta a todos...

Paula. Es verdad... Eso les gusta a todos... ¿Entonces, todos, en su familia, han sido artistas de circo?

Dionisio. Sí. Todos. Menos la abuelita. Como estaba tan vieja, no servía. Se caía siempre del caballo... Y todo el día se pasaban los dos discutiendo...

Paula. ¿El caballo y la abuelita?

DIONISIO. Sí. Los dos tenían un genio terrible... Pero el caballo decía muchas más picardías...

PAULA. Nosotras somos cinco. Cinco *girls*. Vamos con Buby Barton hace ya un año. Y también con nosotros viene madame Olga, la mujer de las barbas. Su número gusta mucho. Hemos llegado esta tarde para *debutar* mañana. Los demás, después de cenar, se han quedado en el café que hay abajo... Esta población es tan triste... No hay adónde ir y llueve siempre... Y a mí el plan del café me aburre... Yo no soy una muchacha como las demás... Y me subí a mi cuarto para tocar un poco mi gramófono... Yo adoro la música de los gramófonos... Pero detrás subió mi novio, con una botella de licor, y me quiso hacer beber, porque él bebe siempre... Y he reñido por eso... y por otra cosa, ¿sabe? No me gusta que él beba tanto...

DIONISIO. Hace mucho daño para el hígado... Un señor que yo conocía...

BUBY. *(Dentro.)* ¡Abre!

PAULA. ¡No! ¡Y no le abro! Ahora me voy a sentar para que se fastidie. *(Se sienta en la cama.)* ¿No le molestaré?

DIONISIO. Yo creo que no.

PAULA. Ahora que sé que es usted un compañero, ya no me importa estar aquí... *(Buby golpea la puerta.)* Debe de estar furioso... Debe de estar ciego de furor...

DIONISIO. *(Miedoso.)* Yo creo que le debíamos abrir, oiga...

PAULA. No. No le abrimos.

DIONISIO. Bueno.

PAULA. Siempre estamos peleando.

DIONISIO. ¿Hace mucho tiempo que son ustedes novios?

PAULA. No. No sé. Dos días. Dos días o tres. A mí no me gusta. Pero se aburre una tanto en estos viajes por provincias... El caso que es simpático, pero cuando bebe o cuando se enfada se pone hecho una fiera... Da miedo verle.

DIONISIO. *(Muy cobarde.)* Le voy a abrir ya, oiga...

PAULA. No. No le abrimos.

DIONISIO. Es que después va a estar muy enfadado y la va a tomar conmigo...

PAULA. Que esté. No me importa.

DIONISIO. Pero es que a lo mejor, por hacer esto, le reñirá a usted su mamá.

PAULA. ¿Qué mamá?

DIONISIO. La suya.

PAULA. ¿La mía?

DIONISIO. Sí. Su papá o su mamá.

PAULA. Yo no tengo papá ni mamá.

DIONISIO. Pues sus hermanos.

PAULA. No tengo hermanos.

DIONISIO. Entonces, ¿con quién viaja usted? ¿Va usted sola con su novio y con esos señores?

PAULA. Sí. Claro. Voy sola. ¿Es que yo no puedo ir sola?

DIONISIO. A mí, allá cuentos...

BUBY. *(Dentro, ya rabioso.)* ¡Abre, abre y abre!

PAULA. Le voy a abrir ya. Está demasiado enfadado.

DIONISIO. *(Más cobarde aún.)* Oiga. Yo creo que no le debía usted abrir...

PAULA. Sí. Le voy a abrir. *(Abre la puerta y entra Buby, un bailarín negro, con un ukelele en la mano.)* ¡Ya está! ¿Qué hay? ¿Qué pasa? ¿Qué quieres?

BUBY. Buenas noches.

DIONISIO. Buenas noches.

PAULA. *(Presentando.)* Este señor es malabarista.

BUBY. ¡Ah! ¡Es malabarista!

PAULA. Debuta también mañana en el Nuevo Music-Hall... Su papá se tragaba el sable...

DIONISIO. Perdone que no le dé la mano... *(Por los sombreros, con los que sigue en la misma actitud.)* Como tengo esto..., pues no puedo.

BUBY. *(Displicente.)* ¡Un compañero! ¡Entra dentro, Paula!...

PAULA. ¡No entro, Buby!

BUBY. ¿No entras, Paula?

PAULA. No entro, Buby.

BUBY. Pues yo tampoco entro, Paula.

(Se sientan en la cama, uno a cada lado de Dionisio, que también se sienta y que cada vez está más azorado.

Buby empieza a silbar una canción americana, acompañándose con su ukelele. Paula le sigue, y también Dionisio. Acaban la pieza. Pausa.)

DIONISIO. *(Para romper, galante, el violento silencio.)* ¿Y hace mucho tiempo que es usted negro?

BUBY. No sé. Yo siempre me he visto así en la luna de los espejitos...

DIONISIO. ¡Vaya por Dios! ¡Cuando viene una desgracia nunca viene sola! ¿Y de qué se quedó usted así? ¿De alguna caída?...

BUBY. Debió de ser eso, señor...

DIONISIO. ¿De una bicicleta?

BUBY. De eso, señor...

DIONISIO. ¡Como que a los niños no se les debe comprar bicicletas! ¿Verdad, señorita? Un señor que yo conocía...

PAULA. *(Que, distraída, no hace caso a este diálogo.)* Este cuarto es mejor que el mío...

DIONISIO. Sí. Es mejor. Si quiere usted lo cambiamos. Yo me voy al suyo y ustedes se quedan aquí. A mí no me cuesta trabajo... Yo recojo mis cuatro trapitos... Además de ser más grande, tiene una vista magnífica. Desde el balcón se ve el mar... Y en el mar tres lucecitas... El suelo también es muy mono... ¿Quieren ustedes mirar debajo de la cama?...

BUBY. *(Seco.)* No.

DIONISIO. Anden. Miren debajo de la cama. A lo mejor encuentran otra bota... Debe de haber muchas...

PAULA. *(Que sigue distraída y sin hacer mucho caso de lo que dice Dionisio, siempre azoradísimo.)* Haga usted algún ejercicio con los sombreros. Así nos distraeremos. A mí me encantan los malabares...

DIONISIO. A mí también. Es admirable eso de tirar las cosas al aire y luego cogerlas... Parece que se van a caer y luego resulta que no se caen... ¡Se lleva uno cada chasco!

PAULA. Ande. Juegue usted.

DIONISIO. *(Muy extrañado.)* ¿Yo?

PAULA. Sí. Usted.

DIONISIO. *(Jugándose el todo por el todo.)* Voy. *(Se

levanta. Tira los sombreros al aire y, naturalmente, se caen
al suelo, en donde los deja. Y se vuelve a sentar.) Ya está.

PAULA. *(Aplaudiendo.)* ¡Oh! ¡Qué bien! ¡Déjeme probar
a mí! Yo no he probado nunca. *(Coge los sombreros del*
suelo.) ¿Es difícil? ¿Se hace así? *(Los tira al aire.)* ¡Hoop!

     (Y se caen.)

DIONISIO. ¡Eso! ¡Eso! ¡Ha aprendido usted en seguida!
(Recoge del suelo los sombreros y se los ofrece a Buby.)
¿Y usted? ¿Quiere jugar también un poco?

BUBY. No. *(Y suena el timbre del teléfono.)* ¿Un timbre?

PAULA. Sí. Es un timbre.

DIONISIO. *(Desconcertado.)* Debe de ser visita.

PAULA. No. Es aquí dentro. Es el teléfono.

DIONISIO. *(Disimulando, porque él sabe que es su novia.)*
¿El teléfono?

PAULA. Sí.

DIONISIO. ¡Qué raro! Debe de ser algún niño que está
jugando y por eso suena...

PAULA. Mire usted quién es.

DIONISIO. No. Vamos a hacerle rabiar.

PAULA. ¿Quiere usted que mire yo?

DIONISIO. No. No se moleste. Yo lo veré. *(Mira por el*
auricular.) No se ve a nadie.

PAULA. Hable usted.

DIONISIO. ¡Ah! Es verdad. *(Habla, fingiendo la voz.)*
¡No! ¡No!

     (Y cuelga.)

PAULA. ¿Quién era?

DIONISIO. Nadie. Era un pobre.

PAULA. ¿Un pobre?

DIONISIO. Sí. Un pobre. Quería que le diese diez céntimos. Y le he dicho que no.

BUBY. *(Se levanta, ya indignado.)* Paula, vámonos a
nuestro cuarto.

PAULA. ¿Por qué?

BUBY. Porque me da la gana a mí.

PAULA. *(Descarada.)* ¿Y quién eres tú?

BUBY.   Soy quien tiene derecho a decirte eso. Entra dentro ya de una vez. Esto se ha acabado. Esto no puede seguir así más tiempo...

PAULA.   *(En pie, declamando, frente a Buby, y cogiendo en medio a Dionisio, que está fastidiadísimo.)* ¡Y es verdad! Estoy ya harta de tolerarte groserías... Eres un negro insoportable, como todos los negros. Y te aborrezco... ¿Me comprendes? Te aborrezco... Y esto se ha acabado... No te puedo ver... No te puedo aguantar...

BUBY.   Yo, en cambio, a ti te adoro, Paula... Tú sabes que te adoro y que conmigo no vas a jugar... ¡Tú sabes que te adoro, flor de la chirimoya!...

PAULA.   ¿Y qué? ¿Tú crees que yo puedo enamorarme de ti? ¿Es que tú crees que yo puedo enamorarme de un negro? No, Buby. Yo no podré enamorarme de ti nunca... Hemos sido novios algún tiempo... Ya es bastante. He sido novia tuya por lástima... Porque te veía triste y aburrido... Porque eres negro... Porque cantabas esas tristes canciones de la plantación... Porque me contabas que de pequeño te comían los mosquitos, y te mordían los monos, y tenías que subirte a las palmeras y a los cocoteros... Pero nunca te he querido, ni nunca te podré querer... Debes comprenderlo... ¡Quererte a ti! Para eso querría a este caballero, que es más guapo... A este caballero, que es una persona educada... A este caballero, que es blanco...

BUBY.   *(Con odio.)* ¡Paula!

PAULA.   *(A Dionisio.)* ¿Verdad, usted, que de un negro no se puede enamorar nadie?

DIONISIO.   Si es honrado y trabajador...

BUBY.   ¡Entra dentro!

PAULA.   ¡No entro! *(Se sienta.)* ¡No entro! ¿Lo sabes? ¡No entro!

BUBY.   *(Sentándose también.)* Yo esperaré a que tú te canses de hablar con el rostro pálido...

(Nueva pausa violenta.)

DIONISIO.   ¿Quieren ustedes que silbemos otra cosita? También sé *Marina.*

FANNY.   *(Dentro.)* ¡Paula! ¿Dónde estáis? *(Se asoma por*

la puerta de la izquierda.) ¿Qué hacéis aquí? *(Entra. Es
otra alegre muchacha del «ballet».)* ¿Qué os pasa? *(Y nadie
habla.)* Pero ¿qué tenéis? ¿Qué os sucede? ¿Ya habéis re-
gañado otra vez...? Pues sí que lo estáis pasando bien...
En cambio, nosotras, estamos divertidísimas... Hay unos
señores abajo, en el café, que nos quieren invitar ahora a
unas botellas de champaña... Las demás se han quedado
abajo con ellos y con madame Olga, y ahora subirán y can-
taremos y bailaremos hasta la madrugada... ¿No habláis?
Pues si que estáis aviados... *(Por Dionisio.)* ¿Quién es este
señor...? ¿No oís? ¿Quién es este señor...?

PAULA. No sé.

FANNY. ¿No sabes?

PAULA. *(A Dionisio.)* ¡Dígale usted quién es!

DIONISIO. *(Levantándose.)* Yo soy Antonini...

FANNY. ¿Cómo está usted?

DIONISIO. Bien. ¿Y usted?

PAULA. Es malabarista. Debuta también mañana en el
Nuevo Music-Hall.

FANNY. Bueno..., pero a vosotros, ¿qué os pasa?

PAULA. No nos pasa nada.

FANNY. Vamos. Decídmelo. ¿Qué os pasa?

PAULA. Que te lo explique este señor.

FANNY. Explíquemelo usted...

DIONISIO. Si yo lo sé contar muy mal...

FANNY. No importa.

DIONISIO. Pues nada... Es que están un poco disgusta-
dillos... Pero no es nada. Es que este negro es un idiota...

BUBY. *(Amenazador.)* ¡Petate!

DIONISIO. No. Perdone usted. Si es que me he equivocado... No es un idiota... Es que como es negro, pues tiene
su geniecillo... Pero el pobre no tiene la culpa... Él, ¿qué
le va hacer, si se cayó de una bicicleta?... Peor hubiera
sido haberse quedado manquito... Y la señorita ésta se lo
ha dicho... y, ¡bueno!, se ha puesto que ya, ya...

FANNY. ¿Y qué más?

DIONISIO. No; si ya se ha acabado...

FANNY. Total, que siempre estáis lo mismo... Tú eres
tonta, Paula.

PAULA. *(Se levanta, descarada.)* ¡Pues si soy tonta, mejor!

(Y hace mutis por la izquierda.)

FANNY. La culpa la tienes tú, Buby, por ser tan grosero...

BUBY. *(El mismo juego.)* ¡Pues si soy grosero, mejor!

(Y también se va por la izquierda.)

FANNY. *(A Dionisio.)* Pues entonces yo también me voy a marchar...

DIONISIO. Pues si se va usted a marchar, mejor...

FANNY. *(Cambia de idea y se sienta en la cama y saca un cigarrillo de su bolso.)* ¿Tiene usted una cerilla?

DIONISIO. Sí.

FANNY. Démela.

DIONISIO. *(Que está azorado y distraído, se mete la mano en el bolsillo y, sin darse cuenta, en vez de darle las cerillas le da la bota.)* Tome.

FANNY. ¿Qué es esto?

DIONISIO. *(Más azorado todavía.)* ¡Ah! Perdone. Esto es para encender. Las cerillas las tengo aquí. *(Enciende una cerilla en la suela de la bota.)* ¿Ve usted? Se hace así. Es muy práctico. Yo siempre la llevo, por eso... ¡Dónde esté una bota que se quiten esos encendedores!...

FANNY. Siéntese aquí.

DIONISIO. *(Sentándose a su lado en la cama.)* Gracias. *(Ella fuma. Dionisio la mira, muy extrañado.)* ¿También lo sabe usted echar por la nariz?

FANNY. Sí.

DIONISIO. *(Entusiasmado.)* ¡Qué tía!

FANNY. ¿Qué le parecen a usted estos dos?

DIONISIO. Que son muy guapos

FANNY. ¿Verdad usted que sí, Tonini? *(Y, cariñosamente, le empuja para atrás. Dionisio cae de espaldas sobre la cama, con las piernas en alto. La cosa le molesta un poco, pero no dice nada. Y vuelve a sentarse.)* Ella no le quiere... Pero él, sí... Él la quiere a su manera, y los negros quieren de una manera muy pasional... Buby la quiere... Y con

Buby no se puede andar jugando, porque, cuando bebe, es malo... Paula ha hecho mal en meterse en esto... *(Se fija en un pañuelo que lleva Dionisio en el bolsillo alto del pijama.)* Es bonito este pañuelo. *(Lo coge.)* Para mí, ¿verdad?...

DIONISIO.   ¿Está usted acatarrada?

FANNY.   No. ¡Es que me gusta! *(Y le da otro empujón, cayendo Dionisio en la misma ridícula postura. Esta vez la broma le molesta más, pero tampoco dice nada.)* Paula no es como yo... Yo soy mucho más divertida... Si me gusta un hombre, se lo digo... Cuando me deja de gustar, se lo digo también... ¡Yo soy más frescales, hijo de mi vida! ¡Ay, qué requetefrescales soy! *(Mira los ojos de Dionisio fijamente.)* Oye, tienes unos ojos muy bonitos...

DIONISIO.   *(Siempre despistado.)* ¿En dónde?

FANNY.   ¡En tu carita, *salao!*

> *(Y le da otro empujón. Dionisio esta vez reacciona rabioso, como un niño, y dice ya, medio llorando.)*

DIONISIO.   ¡Cómo me vuelva usted a dar otro empujón, maldita sea, le voy a dar a usted una bofetada, maldita sea, que se va usted a acordar de mí, maldita sea!...

FANNY.   ¡Ay, hijo! ¡Qué genio! ¿Y debuta usted también mañana con nosotros?

DIONISIO.   *(Enfadado.)* Sí.

FANNY.   ¿Y qué hace usted?

DIONISIO.   Nada.

FANNY.   ¿Nada?

DIONISIO.   Muy poquito... Como empiezo ahora, pues claro..., ¿qué voy a hacer?

FANNY.   Pero algo hará usted... Dígamelo...

DIONISIO.   Pero si es una tontería... Verá usted... Pues primero, va y toca la música un ratito... Así... ¡Parapapá, parapapá, parapapá...! Y entonces, entonces, voy yo, y salgo... y se calla la música... *(Ya todo muy rápido y haciéndose un lío.)* Y ya no hace parapá ni nada. Y yo voy, voy yo, salgo y hago ¡hoop...! Y hago ¡hoop...! Y en seguida me voy, y me meto dentro... Y ya se termina...

FANNY.   Es muy bonito...

DIONISIO.   No vale nada...

FANNY. ¿Y gusta su número?

DIONISIO. ¡Ah! Eso yo no lo sé...

FANNY. Pero ¿le aplauden?

DIONISIO. Muy poco... Casi nada... Como está todo tan caro...

FANNY. Eso es verdad... *(Suena el timbre del teléfono.)* ¿Un timbre? ¿El teléfono?

DIONISIO. Sí. Es un pobre...

FANNY. ¿Un pobre? ¿Y cómo se llama?

DIONISIO. Nada. Los pobres no se llaman nada...

FANNY. Pero ¿y qué quiere?

DIONISIO. Quiere que yo le dé pan. Pero yo no tengo pan, y por eso no puedo dárselo... ¿Usted tiene pan?

FANNY. Voy a ver... *(Mira en su bolso.)* No. Hoy no tengo pan.

DIONISIO. Pues entonces, ¡anda y que se fastidie!

FANNY. ¿Quiere usted que le diga que Dios le ampare?

DIONISIO. No. No se moleste. Yo se lo diré. *(Con voz fuerte, desde la cama.)* ¡Dios le ampare!

FANNY. ¿Le habrá oído?

DIONISIO. Sí. Los pobres estos lo oyen todo...

> *(Y por la puerta de la izquierda, de calle, y con paquetes y botellas, entran Trudy, Carmela y Sagra, que son tres alegres y alocadas «girls» del «ballet» de Buby Barton.)*

SAGRA. *(Aún dentro.)* ¡Fanny! ¡Fanny!

CARMELA. *(Ya entrando con las otras.)* Ya estamos aquí.

TRUDY. ¡Y traemos pasteles!

SAGRA. ¡Y jamón!

CARMELA. ¡Y vino!

TRUDY. ¡Y hasta una tarta con *biscuit!*

LAS TRES. ¡Laralí! ¡Laralí!

SAGRA. ¡El señor del café nos ha convidado...!

> *(Empiezan a dejar los paquetes y los abrigos encima del sofá.)*

CARMELA. ¡Y pasaremos el rato reunidos aquí!

TRUDY. ¡Ha encargado ostras...!

SAGRA. ¡... Y champán del caro...!

CARMELA. ... Y hasta se ha enamorado de mí...

LAS TRES. ¡Laralí! ¡Laralí!

TRUDY. *(Indicando la habitación de la izquierda.)* ¡En ese cuarto dejamos más cosas!

SAGRA. ¡Todo lo prepararemos allí!

CARMELA. ¡Toma estos paquetes!

(Le da unos paquetes.)

TRUDY. ¡Ayúdanos! ¡Anda!

FANNY. *(Alegre, con los paquetes, haciendo mutis por la izquierda.)* ¿Nos divertiremos?

SAGRA. ¡Nos divertiremos!

CARMELA. ¡Verás cómo sí!

LAS TRES. ¡Laralí! ¡Laralí!

TRUDY. *(Fijándose en los sombreros de copa, que Dionisio dejó en la mesita.)* ¡Mirad qué sombreros!

SAGRA. ¡Son de este señor!

CARMELA. ¡Es el malabarista que Paula nos dijo!

TRUDY. ¿Jugamos con ellos?

SAGRA. *(Tirándolos al alto.)* ¡Arriba! ¡Alay!

CARMELA. ¡Hoop!

(Los sombreros se caen al suelo y las tres muchachas idiotas, riéndose siempre, se van por la puerta de la izquierda. Dionisio, que con estas cosas está muy triste, aprovecha que se ha quedado solo y, muy despacito, va y cierra la puerta que las chicas dejaron abierta. Después va a recoger los sombreros, que están en el suelo. Se le caen y, para mayor comodidad, se pone uno en la cabeza. En este momento dan unos golpecitos en la puerta del foro.)

DON ROSARIO. *(Dentro.)* ¡Don Dionisio! ¡Don Dionisio!

DIONISIO. *(Poniendo precipitadamente los dos sombreros en la mesita.)* ¿Quién?

DON ROSARIO. ¡Soy yo, don Rosario!

DIONISIO. ¡Ah! ¡Es usted!

(Y se acuesta, muy de prisa, metiéndose entre las sábanas y conservando su sombrero puesto.)

Don Rosario. *(Entrando con su cornetín.)* ¿No duerme usted? Me he figurado que sus vecinos de cuarto no le dejarían dormir. Son muy malos y todo lo revuelven...

Dionisio. No he oído nada... Todo está muy tranquilo...

Don Rosario. Sin embargo, yo, desde abajo, oigo sus voces... Y usted necesita dormir. Mañana se casa usted. Mañana tiene usted que hacer feliz a una virtuosa señorita... Yo voy a tocar mi cornetín y usted se dormirá... Yo voy a tocar «La serenata de Toselli»...

> *(Y, en pie, frente a la cama, de cara a Dionisio y de espaldas al público, toca, ensimismado en su arte. A poco, Fanny abre la puerta de la izquierda y entra derecha a recoger unos paquetes del sofá. Cruza la escena por el primer término, o sea, por detrás de don Rosario, que no la ve. Coge los paquetes y da la vuelta para irse por el mismo camino. Pero en esto, se fija en don Rosario y le pregunta a Dionisio, que la está mirando.)*

Fanny. ¿Quién es ése?

Dionisio. *(Muy bajito, para que no le oiga don Rosario.)* Es el pobre...

Fanny. Qué pesado, ¿verdad...?

Dionisio. Sí. Es muy pesado.

Fanny. Hasta luego.

> *(Y hace mutis por la izquierda.)*

Dionisio. Adiós.

> *(Al poco tiempo, entra y cruza la escena, del mismo modo que Fanny, y con el mismo objeto, El odioso señor, que lleva puesto un sombrero hongo. Cuando ya ha cogido un paquete y va a marcharse, ve a Dionisio y le saluda, muy fino, quitándose el sombrero.)*

El odioso señor. ¡Adiós!

Dionisio. *(Quitándose también el sombrero para saludar.)* Adiós. Buenas noches.

> *(Hace mutis El odioso señor. En seguida entra y hace el mismo juego madame Olga, la mujer de las barbas.)*

Madame Olga. *(Al irse, muy cariñosa, a Dionisio.)* Yo soy madame Olga...

DIONISIO. ¡Ah!
MADAME OLGA. Ya sé que es usted artista...
DIONISIO. Sí...
MADAME OLGA. Vaya, pues me alegro...
DIONISIO. Muchas gracias...
MADAME OLGA. Hasta otro ratito...
DIONISIO. ¡Adiós!

> *(Madame Olga hace mutis y cierra la puerta. Dioni-*
> *sio cierra los ojos haciéndose el dormido. Don Rosario*
> *termina en este momento su pieza y deja de tocar. Y mira*
> *a Dionisio.)*

DON ROSARIO. Se ha dormido... Es un ángel... Él so-
ñará con ella... Apagaré la luz... *(Apaga la luz del centro y*
enciende el enchufe de la mesita de noche. Después se acerca
a Dionisio y le da un beso en la frente.) ¡Duerme como un
pajarito!

> *(Y muy de puntillas, se va por la puerta del foro y*
> *cierra la puerta. Pero ahora suena el timbre del telé-*
> *fono. Dionisio se levanta corriendo y va hacia él.)*

DIONISIO. ¡Es Margarita...!

> *(Pero la puerta de la izquierda se abre nuevamente, y*
> *Paula se asoma, quedándose junto al quicio. Dionisio ya*
> *abandona su ida al teléfono.)*

PAULA. ¿No entra usted?
DIONISIO. No.
PAULA. Entre usted... Le invitamos. Se distraerá...
DIONISIO. Tengo sueño... No...
PAULA. De todos modos, no le vamos a dejar dormir...

> *(Por el rumor de alegría que hay dentro.)*

DIONISIO. Estoy cansado...
PAULA. Entre usted... Se lo pido yo... Sea usted simpático... Está ahí Buby, y me molesta Buby. Si entra usted,
ya es distinto... Estando usted yo estaré contenta... ¡Yo
estaré contenta con usted...! ¿Quiere?

Dionisio. *(Que siempre es el mismo muchacho sin voluntad.)* Bueno.

> *(Y va hacia la puerta. Entran los dos. Cierran. Y el timbre del teléfono sigue sonando unos momentos, inútilmente.)*

TELÓN

ACTO SEGUNDO

La misma decoración. Han transcurrido dos horas y hay un raro ambiente de juerga. La puerta de la izquierda está abierta y dentro suena la música de un gramófono que nos hace oír una java francesa con acordeón marinero. Los personajes entran y salen familiarmente por esta puerta, pues se supone que la cuchipanda se desenvuelve, generosamente, entre los dos cuartos. La escena está desordenada. Quizá haya papeles por el suelo. Quizá haya botellas de licor. Quizá haya, también, latas de conserva vacías. Hay muchos personajes en escena. Cuantos más veamos, más divertidos estaremos. La mayoría son viejos extraños que no hablan. Bailan solamente, unos con otros, o quizá, con alegres muchachas que no sabemos de dónde han salido, ni nos debe importar demasiado. Entre ellos hay un viejo lobo de mar vestido de marinero... Hay un indio con turbante, o hay un árabe. Es, en fin, un coro absurdo y extraordinario que ambientará unos minutos la escena, ya que, a los pocos momentos de levantarse el telón, irán desapareciendo, poco a poco, por la puerta de la izquierda. También, entre estos señores, están en escena los personajes principales. Buby, echado en la cama, templa monótonamente su ukelele. El odioso señor, apoyado en el quicio de la puerta izquierda, mira a Paula con voluptuosidad. Paula baila con Dionisio. Fanny, con el anciano militar, completamente calvo y con la pechera de su uniforme llena de condecoraciones y cruces. Sagra baila con el cazador astuto que, pendientes del cinto, lleva cuatro conejos, cada cual con una pequeña

88

etiqueta, en la que es posible que vaya marcado el precio. Madame Olga, en bata y zapatillas, hace labor sentada en el diván. A su lado, en pie, el guapo muchacho, con una botella de coñac en la mano, la invita de cuando en cuando a alguna copa, mirándola constantemente con admiración y respeto provincianos...

(Se ha levantado el telón. El coro, siempre bailando sobre la música, ha ido evolucionando hasta desaparecer por la puerta de la izquierda.)

SAGRA. *(Hablando mientras baila.)* ¿Y hace mucho tiempo que cazó usted esos conejos?

EL CAZADOR ASTUTO. *(Borracho, pero correcto siempre.)* Sí, señorita. Hace quince días que los pesqué. Pero estoy siempre tan ocupado que no consigo tener ni cinco minutos libres para comérmelos... Siempre que pesco conejos, me pasa igual...

SAGRA. Yo, para trabajar, tengo un vestido parecido al suyo. Solamente que, en lugar de llevar colgados esos bichos, llevo plátanos. Hace más bonito...

EL CAZADOR ASTUTO. Yo no consigo pescar nunca plátanos. Yo sólo consigo pescar conejos.

SAGRA. Pero ¿los conejos se cazan o se pescan?

EL CAZADOR ASTUTO. *(Más correcto que nunca.)* Eso depende de la borrachera que tenga uno, señorita...

SAGRA. ¿Y no le molestan a usted para bailar?

EL CAZADOR ASTUTO. Atrozmente, señorita. Con su permiso, voy a tirar uno al suelo...

(Desprende un conejo del cinturón y lo deja caer en el suelo.)

SAGRA. Encantada.

(Siguen bailando, y el sitio que ocupaban lo ocupan ahora El anciano militar y Fanny.)

EL ANCIANO MILITAR. Le aseguro, señorita, que jamás olvidaré esta noche tan encantadora. ¿No me dice usted nada?

FANNY. Ya le he dicho que yo lo que quiero es que me regale usted una cruz...

EL ANCIANO MILITAR. Pero es que estas cruces yo no las puedo regalar, caramba...

FANNY. ¿Y para qué quiere usted tanta cruz?

EL ANCIANO MILITAR. Las necesito yo, caramba.

FANNY. Pues yo quiero que me regale usted una cruz...

EL ANCIANO MILITAR. Es imposible, señorita. No tengo inconveniente en regalarle un sombrero, pero una cruz, no. También puedo regalarle un aparato de luz para el comedor...

FANNY. Ande usted, tonto. Que tiene una cabeza que parece una mujer bañándose...

EL ANCIANO MILITAR. ¡Oh, qué repajolera gracia tiene usted, linda señorita...!

> (Como durante todo el diálogo han estado bailando, ahora El anciano militar tropieza con el conejo que tiró el cazador y de un puntapié, lo manda debajo de la cama.)

FANNY. ¿Eh? ¿Qué es eso?

EL ANCIANO MILITAR. No, nada. ¡El gato!

> (Y siguen bailando, hasta desaparecer por la izquierda.)

MADAME OLGA. ¡Oh! ¡Yo soy una gran artista! Me he exhibido en todos los circos de todas las ciudades... Junto al viejo oso, junto a la cabra triste, junto a los niños descoyuntados... *Great atraction!* ¡Yo soy una grande artista...!

EL GUAPO MUCHACHO. Sí, señor... Pero ¿por qué no se afeita usted la barba?

MADAME OLGA. Mi marido, monsieur Durand, no me lo hubiese consentido nunca... Mi marido era un hombre muy bueno, pero de ideas antiguas... ¡Él no pudo resistir nunca a esas mujeres que se depilan las cejas y se afeitan el cogote...! Siempre lo decía el pobre: «¡Esas mujeres que se afeitan me parecen hombres!»

EL GUAPO MUCHACHO. Sí, señor... Pero por lo menos se podía usted teñir de rubio... ¡Donde esté una mujer con una buena barba rubia...!

MADAME OLGA. ¡Oh! Mi marido, monsieur Durand, tampoco lo habría consentido. A él sólo le gustaban las bellas mujeres con barba negra... Tipo español, ¿no? *¡Andalusa!* ¡Gitana! ¡Viva tu padrrre! Dame otra copa.

EL GUAPO MUCHACHO.   ¿Y su marido también era artista?

MADAME OLGA.   ¡Oh, él tuvo una gran suerte...! Tenía cabeza de vaca y cola de cocodrilo... Ganó una fortuna... Pero ¿y esa copa?

EL GUAPO MUCHACHO.   *(Volcando la botella, que ya está vacía.)*   No hay más.

MADAME OLGA.   *(Levantándose.)*   Entonces vamos por otra botella...

EL GUAPO MUCHACHO. *(Galante.)*   ¿Me da usted el brazo, patitas de *bailaora?*

MADAME OLGA.   Encantada.

(Y, del brazo, hacen mutis por la izquierda.)

DIONISIO.   *(Bailando con Paula.)*   Señorita... Yo necesito saber por qué estoy yo borracho...

PAULA.   Usted no está borracho, Toninini...

(Dejan de bailar.)

DIONISIO.   Yo necesito saber por qué me llama usted a mí Toninini...

PAULA.   ¿No hemos quedado en que yo le llame a usted Toninini? Es muy divertido ese nombre, ¿verdad?

DIONISIO.   *Oui.*

PAULA.   ¿Por qué dice usted *oui?*

DIONISIO.   Señorita..., también yo quisiera saber por qué digo *oui...* Yo tengo mucho miedo, señorita...

PAULA.   ¡Es usted un chico maravilloso!

DIONISIO.   ¡Pues usted tampoco es manca, señorita!

PAULA.   ¡Qué cosas tan especiales dice usted...!

DIONISIO.   ¡Pues usted tampoco se chupa el dedo...!

EL ODIOSO SEÑOR.   *(Acercándose a Dionisio.)*   ¿Está usted cansado?

DIONISIO.   ¿Yo?

EL ODIOSO SEÑOR.   ¿Me permite usted dar una vuelta con esta señorita?

PAULA.   *(Grosera.)*   ¡No!

EL ODIOSO SEÑOR.   Yo soy el señor más rico de toda la provincia... ¡Mis campos están llenos de trigo!

PAULA.   ¡No! ¡No y no!
> (*Y se marcha por la puerta de la izquierda. Dionisio se sienta en el sofá, medio dormido. Y el señor se va detrás de Paula.*)

EL CAZADOR ASTUTO. (*Siempre bailando.*) Señorita... ¿me permite usted que tire otro conejo al suelo?

SAGRA.   Encantada, caballero.

EL CAZADOR ASTUTO. (*Tirándolo esta vez debajo de la cama.*) Muchas gracias, señorita.

> (*Y también se van bailando por la izquierda. Ya en la habitación sólo han quedado Buby, en la cama, y Dionisio, que habla sobre la música del disco que sigue girando dentro.*)

DIONISIO.   Yo estoy borracho... Yo no quiero beber... Mi cabeza zumba... Todo da vueltas a mi alrededor... ¡Pero soy feliz! ¡Yo nunca he sido tan feliz...! ¡Yo soy el caballo blanco del Gran Circo Principal! (*Se levanta y da unos pasos haciendo el caballo.*) Pero mañana..., mañana. (*De pronto, fijándose en Buby.*) ¿Tú tienes algo interesante que hacer mañana...? Yo, sí... ¡Yo voy a una fiesta! ¡A una gran fiesta con flores, con música, con niñas vestidas de blanco..., con viejas vestidas de negro...! Con monaguillos..., con muchos monaguillos... ¡Con un millón de monaguillos! (*Debajo de la cama suena una voz de hombre, que canta «Marcial, tú eres el más grande...» Dionisio se agacha, levanta la colcha y dice, mirando debajo de la cama.*) ¡Caballero, haga el favor de salir de ahí! (*Y el alegre explorador sale, muy serio, con una botella en la mano, y se va por la lateral izquierda.*) Y luego, un tren... Y un beso... Y una lágrima de felicidad... ¡Y un hogar! ¡Y un gato! ¡Y un niño...! Y luego, otro gato... Y otro niño... ¡Y un niño...! Y otro niño... ¡Yo no quiero emborracharme...! ¡Yo la quiero...! (*Se para frente al armario. Escucha. Lo abre y les dice a Trudy y a el romántico enamorado, que están dentro haciéndose el amor.*) ¡Hagan el favor de salir de ahí! (*Y la pareja de enamorados salen cogidos del brazo y se van, muy amartelados, por la izquierda, deshojando una margarita.*) ¡Yo necesito saber por qué hay tanta gente en mi habitación! ¡Yo

quiero que me digan por qué está este señor negro acostado
en mi cama! ¡Yo no sé por qué ha entrado el negro aquí
ni por qué ha entrado la mujer barbuda...!

PAULA. *(Dentro.)* ¡Dionisio! *(Sale.)* ¡Toninini! *(Y va
hacia él.)* ¿Qué hace usted?

DIONISIO. *(Transición, y en voz baja.)* Estaba aquí hablando con este amigo... Yo no soy Toninini ni soy ese niño
muerto... Yo no la conozco a usted... Yo no conozco a
nadie... *(Muy serio.)* ¡Adiós, buenas noches!

> *(Y se va por la izquierda.)*

PAULA. *(Intentando detenerle.)* ¡Venga usted! ¡Dionisio!

> *(Pero Buby se ha levantado y se interpone ante la
> puerta, cerrando el paso a Paula. Ha cambiado comple-
> tamente de expresión y habla a Paula en tono apre-
> miante.)*

BUBY. ¿Algo?

PAULA. *(Disgustada.)* ¡Oh, Buby...!

BUBY. *(Más enérgico.)* ¿Algo?

PAULA. Él es un compañero... ¡Él trabajará con nosotros...!

BUBY. ¿Y qué importa eso? ¡Ya lo sé! Pero los compañeros también a veces tienen dinero... *(En voz baja.)*
Y nosotros necesitamos el dinero esta misma noche... Tú
lo sabes... Debemos todo... ¡Es necesario ese dinero, Paula...! ¡Si no, todo está perdido...!

PAULA. Pero él es un compañero... Ha sido una mala
suerte... Debes comprenderlo, Buby...

> *(Se sienta. Y Buby también. Pequeña pausa.)*

BUBY. Realmente ha sido una mala suerte que esta habitación estuviese ocupada por un lindo compañero... Porque él es lindo, ¿verdad?

BUBY. *(Siempre irónico, burlón y sentimental.)* Sí. Yo
sé que es lindo... ¡Ha sido una mala suerte!... No es nada
fácil descorrer un pestillo por dentro y hacer una buena
escena para encontrarse con que dentro de la habitación
no hay un buen viajero gordo con papel en la cartera, sino

un mal malabarista sin lastre en el chalequito... Verdaderamente ha sido una mala suerte...

PAULA. Buby... Esto que hacemos no es del todo divertido...

BUBY. No. Francamente, no es del todo divertido, ¿verdad? ¡Pero qué vamos a hacerle!... El negro Buby no sabe
bailar bien... ¡Y vosotras bailáis demasiado mal!... *(En este
momento, en la habitación de al lado, el Coro de Viejos Extraños empieza a cantar, muy en plan de orfeón, «El relicario».
Unos segundos, solamente. Sobre las últimas voces, ya muy
piano, sigue hablando Buby.)* Es difícil bailar, ¿no?... Duelen
las piernas siempre y, al terminar, el corazón se siente fatigado... Y, sin embargo, a alguna cosa se tienen que dedi-
car las bonitas muchachas soñadoras cuando no quieren
pasarse la vida en el taller, o en la fábrica, o en el almacén
de ropas. El teatro es lindo, ¿verdad? ¡Hay libertad para
todo! Los padres se han quedado en la casita, allá lejos,
con su miseria y sus penas, con su puchero en el fuego...
No hay que cuidar a los hermanitos, que son muchos y
que lloran siempre. ¡La máquina de coser se quedó en aquel
rincón! Pero bailar es difícil, ¿verdad, Paula?... Y los empresarios no pagan con exceso a aquellos artistas que no
gustan lo suficiente... ¡El dinero nunca llega para nada!...
¡Y las muchachas lindas se mueren de dolor cuando su
sombrero se ha quedado cursi! ¡La muerte antes que un
sombrero cursi! ¡¡La muerte antes que un trajecito barato!!
¡¡¡Y la vida entera por un abrigo de piel!!! *(Dentro, el Coro
de Viejos Extraños vuelve a cantar algunos compases de «El
relicario».)* ¿Verdad, Paula? Sí. Paula ya sabe de eso... Y es
tan fácil que una muchacha bonita entre huyendo de su
novio en el cuarto de un señor que se dispone a dormir...
¡Es muy aburrido dormir solo en el cuarto de un hotel!
Y los gordos señores se compadecen siempre de las muchachas que huyen de los negros y hasta, a veces, les suelen
regalar billetes de un bravo color cuando las muchachas
son cariñosas... Y un beso no tiene importancia... Ni dos,
tampoco..., ¿verdad? Y después... ¡Ah, después, si ellos
se sienten defraudados, no es fácil que protesten!... ¡Los
gordos burgueses no quieren escándalos cuando saben,

además, que un negro es amigo de la chica!... ¡Un negro con buenos puños que los golpearía si intentasen propasarse!...

PAULA. ¡Pero él no es un gordo señor! ¡Él es un compañero!

BUBY. *(Mirando hacia la puerta de la izquierda.)* ¡Calla!

(Y El anciano militar y Fanny salen cogidos del brazo y paseando. Fanny lleva colgada en el pecho una de las cruces de El anciano militar.)

EL ANCIANO MILITAR. Señorita, ya le he regalado a usted esa preciosa cruz... Espero que ahora me dará usted una esperanza... ¿Quiere usted escaparse conmigo...?

FANNY. Yo quiero otra cruz...

EL ANCIANO MILITAR. Pero eso es imposible, señorita... Comprenda usted el sacrificio que he hecho ya dándole una... Me ha costado mucho trabajo ganarlas... Me acuerdo que una vez, luchando con los indios *sioux*...

FANNY. Pues yo quiero otra cruz...

EL ANCIANO MILITAR. Vamos, señorita... Dejemos esto y conteste a mis súplicas... ¿Consiente usted en escaparse conmigo?

FANNY. Yo quiero que me regale usted otra cruz...

(Han cruzado la escena hasta llegar al balcón; vuelven a cruzarla en sentido contrario, y ahora desaparecen por donde entraron.)

BUBY. Realmente ha sido una mala suerte encontrar un compañero en la habitación de al lado... Pero Paula, las cosas aún se pueden arreglar... ¡La vida es buena! ¡Ha surgido lo que no pensábamos! ¡Un pequeño baile en el hotel! ¡Unos señores que os invitan...! Paula, entre estos señores los hay que tienen dinero... Mira a Fanny. Fanny es lista... Fanny no pierde el tiempo... El militar tiene cruces de oro y hasta cruces con brillantes... Y hay también un rico señor que quiere bailar contigo..., que cien veces te ha invitado para que bailes con él...

PAULA. ¡Es un odioso señor...!

BUBY. La linda Paula debía bailar con ese caballero...

¡Y Buby estaría más alegre que el gorrioncillo en la acacia y el quetzal en el ombú!

PAULA. *(Sonriendo, divertida.)* Eres un cínico, Buby...

BUBY. ¡Oh, Buby siempre es un cínico porque da buenos consejos a las muchachas que van con él! *(Con ironía.)* ¿O es que te gusta el malabarista?

PAULA. No sé.

BUBY. Sería triste que te enamorases de él. Las muchachas como vosotras no deben enamorarse de aquellos hombres que no regalan joyas ni bonitas pulseras para los brazos... Perderás el tiempo... ¡Necesitamos dinero, Paula! ¡Debemos todo! ¡Y ese señor es el hombre más rico de toda la provincia!

PAULA. Esta noche yo no tengo ganas de hablar con los señores ricos... Esta noche quiero que me dejes en paz... A ratos, estas cosas le divierten a una..., pero otras veces, no...

BUBY. Es que si no, esto se acaba... Tendremos que separarnos todos... ¡El *ballet* de Buby Barton terminó en una provincia!... *(Dentro, el Coro de Viejos Extraños interpreta ahora algunos compases de «El batelero del Volga».)* Yo no lo pido por mí... Un negro vive de cualquier manera... Pero una buena muchacha... ¡Os esperan los trajecitos baratos y los sombreritos cursis...! ¡La máquina de coser que quedó en aquel rincón! ¿O es que tienes la ilusión de encontrar un guapo novio y que te vista de blanco...?

PAULA. No sé, Buby. No me importa... Nunca me ocupé de eso...

BUBY. ¡Ay, mi Paula...! Los caballeros os quieren a vosotras, pero se casan con las demás... *(Mira hacia la izquierda.)* ¡Aquí viene este señor...! *(Muy junto a Paula. Muy hipocritón.)* ¡Tú eres una muchacha cariñosa, Paula! ¡Vivan las muchachas cariñosas...! ¡Hurra por las muchachas cariñosas...!

(Entra por la izquierda El odioso señor.)

EL ODIOSO SEÑOR. ¡Hace demasiado calor en el otro cuarto! Todos están en el otro cuarto... ¡Y han bebido tanto, que alborotan como perros...!

BUBY. *(Muy amable. Muy dulce.)* ¡Oh, señor! ¡Pero

siéntese usted aquí! *(Junto a Paula, en el sofá.)* Aquí el aire es mucho más puro... Aquí el aire es tan despejado que, de cuando en cuando, cruza un pajarillo cantando y las mariposas van y vienen, posándose en las flores de las cortinas.

EL ODIOSO SEÑOR. *(Sentándose junto a Paula.)* ¿Por fin *debutan* ustedes mañana?

PAULA. Sí. Mañana *debutamos*...

EL ODIOSO SEÑOR. Iré a verlos, para reírme un rato... Yo tengo abonado un proscenio... Siempre lo tengo abonado y veo siempre a las chiquitas que trabajan por aquí... Yo soy el señor más rico de toda la provincia...

BUBY. Ser rico... debe ser hermoso, ¿verdad...?

EL ODIOSO SEÑOR. *(Orgulloso. Odioso.)* Sí. Se pasa muy bien... Uno tiene fincas... Y tiene estanques, con peces dentro... Uno come bien... Pollos, sobre todo... Y langosta... Uno también bebe buenos vinos... Mis campos están llenos de trigo...

PAULA. Pero ¿y por qué tiene usted tanto trigo en el campo?

EL ODIOSO SEÑOR. Algo hay que tener en el campo, señorita. Para eso están. Y se suele tener trigo porque tenerlo en casa es muy molesto...

BUBY. Y, claro..., siendo tan rico..., ¡las mujeres le amarán siempre...!

EL ODIOSO SEÑOR. Sí. Ellas siempre me aman... Todas las chiquitas que han pasado por este Music-Hall me han amado siempre... Yo soy el más rico de toda la provincia... ¡Es natural que ellas me amen...!

BUBY. Es claro... Las pobres chicas aman siempre a los señores educados... Ellas están tan tristes... Ellas necesitan el cariño de un hombre como usted... Por ejemplo, Paula. La linda Paula se aburre... Ella, esta noche, no encuentra a ningún buen amigo que le diga palabras agradables... Palabritas dulces de enamorado... Ellas siempre están entre gente como nosotros, que no tenemos campos y que viajamos constantemente, de un lado para otro, pasando por todos los túneles de la Tierra...

EL OCIOSO SEÑOR. ¿Y es de pasar por tantos túneles de lo que se ha quedado usted así de negro? ¡Ja, ja!

(Se ríe exageradamente de su gracia.)

BUBY. *(Como fijándose de pronto en una mariposa imaginaria y como queriéndola coger.)* ¡Silencio! ¡Oh! ¡Una linda mariposa! ¡Qué bellos colores tiene! ¡Silencio! ¡Ahora se va por allí...! *(Por la puerta de la izquierda, en la que él ya está preparando el mutis.)* ¡Voy a cerrar la puerta, y dentro la cogeré! ¡No quiero que se me escape! ¡Con su permiso, señor!

> *(Buby se ha ido, dejando la puerta cerrada. El señor se acerca más a Paula. Hay una pequeña pausa, violenta, en la que el señor no sabe cómo iniciar la conversación. De pronto.)*

EL ODIOSO SEÑOR. ¿De qué color tiene usted las ligas, señorita?

PAULA. Azules.

EL ODIOSO SEÑOR. ¿Azul claro o azul oscuro?

PAULA. Azul oscuro.

EL ODIOSO SEÑOR. *(Sacando un par de ligas de un bolsillo.)* ¿Me permite usted que le regale un par de azul claro? El elástico es del mejor.

> *(Las estira y se las da.)*

PAULA. *(Tomándolas.)* Muchas gracias. ¿Para qué se ha molestado?

EL ODIOSO SEÑOR. No vale la pena. En casa tengo más...

PAULA. ¿Usted vive en esta población?

EL ODIOSO SEÑOR. Sí. Pero todos los años me voy a Niza.

PAULA. ¿Y se lleva usted el trigo o lo deja aquí?

EL ODIOSO SEÑOR. ¡Oh, no! El trigo lo dejo en el campo... Yo pago a unos hombres para que me lo guarden y me voy tranquilo a Niza... ¡En coche-cama, desde luego!

PAULA. ¿No tiene usted automóvil?

EL ODIOSO SEÑOR. Sí. Tengo tres... Pero a mí no me gustan los automóviles, porque me molesta eso de que vayan siempre las ruedas dando vueltas... Es monótono... *(De pronto.)* ¿Qué número usa usted de medias?

PAULA. El seis.

EL ODIOSO SEÑOR. *(Saca de un bolsillo un par de medias, sin liar ni nada, y se las regala.)* ¡Seda pura! ¡Tire usted!

PAULA. No. No hace falta.

EL ODIOSO SEÑOR. Para que usted vea.

> *(Las coge y las estira. Tanto, que las medias se parten por la mitad.)*

PAULA. ¡Oh, se han roto!

EL ODIOSO SEÑOR. No importa. Aquí llevo otro par.

> *(Tira las rotas al suelo. Saca otro par de un bolsillo y se las regala.)*

PAULA. Muchas gracias.

EL ODIOSO SEÑOR. No vale la pena...

PAULA. ¿Entonces, todos los años se va usted a Niza?

EL ODIOSO SEÑOR. Todos los años, señorita... Allí tengo una finca, y lo paso muy bien viendo ordeñar a las vacas. Tengo cien. ¿A usted le gustan las vacas?

PAULA. Me gustan más los elefantes.

EL ODIOSO SEÑOR. Yo, en la India, tengo cuatrocientos... Por cierto que ahora les he puesto trompa y todo. Me he gastado un dineral... *(De pronto.)* Perdón, señorita; se me olvidaba ofrecerle un ramo de flores.

> *(Saca del bolsillo interior de la americana un ramo de flores y se lo regala.)*

PAULA. *(Aceptándolo.)* Encantada.

EL ODIOSO SEÑOR. No vale la pena... Son de trapo... Ahora, que el trapo es del mejor...

> *(Y se acerca a Paula.)*

PAULA. ¿Es usted casado?

EL ODIOSO SEÑOR. Sí. Claro. Todos los señores somos casados. Los caballeros se casan siempre... Por cierto que mañana, precisamente, tengo que asistir a una boda... Se casa la hija de un amigo de mi señora y no tengo más remedio que ir...

PAULA. ¿Una boda por amor?

EL ODIOSO SEÑOR. Sí. Creo que los dos están muy enamorados. Yo iré a la boda, pero en seguida me iré a Niza...

PAULA. ¡Cómo me gustaría a mí también ir a Niza!

EL ODIOSO SEÑOR. Mi finca de allá es hermosa. Tengo una gran piscina, en la que me doy cinco o seis baños diarios... ¿Usted también se baña con frecuencia, señorita?

PAULA. (Muy ingenua.) Sí. Pero claro está que no tanto como su tía de usted...

EL ODIOSO SEÑOR. (Algo desconcertado.) ¡Claro! (Y saca del bolsillo una bolsa de bombones.) ¿Unos bombones, señorita? Para usted la bolsa...

PAULA. (Aceptándolos.) Muchas gracias.

EL ODIOSO SEÑOR. Por Dios... ¿Y qué echa usted en el agua del baño?

PAULA. «Papillons de Printemps». ¡Es un perfume lindo!

EL ODIOSO SEÑOR. Yo echo focas. Estoy tan acostumbrado a bañarme en Noruega, que no puedo habituarme a estar en el agua sin tener un par de focas junto a mí. (Fijándose en Paula, que no come bombones.) Pero ¿no toma usted bombones? (Saca un bocadillo del bolsillo.) ¿Quiere usted este bocadillo de jamón?

PAULA. No tengo apetito.

EL ODIOSO SEÑOR. (Sacando otro bocadillo de otro bolsillo.) ¿Es que lo prefiere de caviar?

PAULA. No. De verdad. No quiero nada.

EL ODIOSO SEÑOR. (Volviendo a guardárselos.) Es una lástima. En fin, señorita... (Acercándose más a ella.) ¿Me permite que le dé un beso? Después de esta conversación tan agradable, se ve que hemos nacido el uno para el otro...

PAULA. (Desviándose.) No.

EL ODIOSO SEÑOR. (Extrañado.) ¿Aún no? (Y entonces, de otro bolsillo, saca una carraca.) Con su permiso, me voy a tomar la libertad de regalarle esto. No vale nada, pero es entretenido...

PAULA. (Cogiendo la carraca y dejándola sobre el sofá.) Muchas gracias.

EL ODIOSO SEÑOR. Y ahora, ¿la puedo dar un beso?

PAULA. No.

EL ODIOSO SEÑOR. Pues lo siento mucho, pero no tengo

más regalos en los bolsillos... Ahora que, si quiere usted, puedo ir a mi casa por más...

PAULA. *(Fingiendo mucha melancolía.)* No. No se moleste.

EL ODIOSO SEÑOR. Parece que está usted triste... ¿Qué le pasa a usted?

PAULA. Sí. Estoy triste. Estoy horriblemente triste...

EL ODIOSO SEÑOR. ¿Acaso he cometido alguna incorrección, señorita?

PAULA. No. Estoy muy triste porque me pasa una cosa tremenda... ¡Soy muy desgraciada!

EL ODIOSO SEÑOR. Todo tiene arreglo en la vida, nenita...

PAULA. No. Esto no tiene arreglo. ¡No puede tener arreglo!

EL ODIOSO SEÑOR. ¿Es que se le han roto a usted algunos zapatos?

PAULA. Me ha pasado otra cosa más terrible. ¡Soy muy desgraciada!

EL ODIOSO SEÑOR. Vamos, señorita. Cuénteme lo que le sucede...

PAULA. Figúrese usted que nosotros hemos llegado aquí esta tarde, de viaje... Y yo llevaba una cartera y dentro llevaba unos cuantos ahorros... Unos cuantos billetes... Y ha debido ser en el tren... Sin duda, mientras dormía... El caso es que, al despertar, no encontré la cartera por ninguna parte... Figúrese usted mi disgusto... Ese dinero me hacía falta para comprarme un abrigo... Y ahora todo lo he perdido. ¡Soy muy desgraciada!

EL ODIOSO SEÑOR. *(Ya en guardia.)* Vaya, vaya... ¿Y dice usted que la perdió en el tren?

PAULA. Sí. En el tren.

EL ODIOSO SEÑOR. ¿Y miró usted bien por el departamento?

PAULA. Sí. Y por los pasillos.

EL ODIOSO SEÑOR. ¿Miró también en la locomotora?

PAULA. Sí. También miré en la locomotora...

(Pausa.)

EL ODIOSO SEÑOR. ¿Y cuánto dinero llevaba usted en la cartera?

PAULA. Cuatro billetes.

EL ODIOSO SEÑOR. ¿Pequeños?

PAULA. Medianos.

EL ODIOSO SEÑOR. ¡Vaya! ¡Vaya! ¡Cuatro billetes!

PAULA. ¡Estoy muy disgustada, caballero...!

EL ODIOSO SEÑOR. *(Ya dispuesto a todo.)* ¿Y dice usted que son cuatro billetes?

PAULA. Sí. Cuatro billetes.

EL ODIOSO SEÑOR. *(Sonriendo pícaro.)* Uno va todos los los años a Niza y conoce estas cosas, señorita... ¡Claro que si usted fuese cariñosa!... Aunque hay que tener en cuenta que ya le he hecho varios regalos...

PAULA. No entiendo lo que quiere usted decir... Habla usted de una forma...

EL ODIOSO SEÑOR. *(Sacando un billete de la cartera, y muy tunante.)* ¿Para quién va a ser este billetito?

PAULA. No se moleste, caballero... Es posible que aún la encuentre...

EL ODIOSO SEÑOR. *(Colocándole el billete en la mano.)* Tómelo. Si la encuentra ya me lo devolverá... Y ahora... ¿Me permite usted que le dé un beso?

PAULA. *(Apartándose aún.)* ¡Tengo un disgusto tan grande! Porque figúrese que no es un billete solamente... Son cuatro...

EL ODIOSO SEÑOR. *(Sacando nuevamente la cartera y de ella otros tres billetes.)* Vaya, vaya... *(Muy mimoso.)* ¿Para quién van a ser estos billetitos?

PAULA. *(Tomándolos, y ya cariñosa.)* ¡Qué simpático es usted! *(Y él le da un beso. Después se levanta y echa los pestillos de las puertas. Paula se pone en guardia.)* ¿Qué ha hecho usted?

EL ODIOSO SEÑOR. He cerrado las puertas...

PAULA. *(Levantándose.)* ¿Para qué?

EL ODIOSO SEÑOR. Para que no puedan entrar ni los pájaros ni las mariposas... *(Va hacia ella y la abraza. Ya ha perdido toda su falsa educación. Ya quiere cobrarse su dinero lo antes posible.)* ¡Eres muy bonita!

PAULA. *(Enfadada.)* ¡Abra usted las puertas!

EL ODIOSO SEÑOR. Luego abriremos las puertas, ¿verdad? ¡Siempre hay tiempo para abrir las puertas!...

PAULA. *(Ya indignada e intentando zafarse de los brazos de El odioso señor.)* ¡Déjeme usted! ¡Usted no tiene derecho a esto! ¡Abra usted las puertas!

EL ODIOSO SEÑOR. Yo no gasto mi dinero en balde, nenita...

PAULA. *(Furiosa.)* ¡Yo no le he pedido a usted ese dinero! ¡Usted me lo ha dado! ¡Déjeme usted! ¡Fuera de aquí! ¡Largo! ¡Voy a gritar!

EL ODIOSO SEÑOR. Le he dado a usted cuatro billetes... Usted tiene que ser buena conmigo... Eres demasiado bonita para que te deje...

PAULA. ¡Yo no se los he pedido! ¡Déjeme ya! *(Gritando.)* ¡Buby! ¡Buby!

> *(El señor, brutote, brutote, insiste en abrazarla. Pero Buby ha abierto la puerta de la izquierda y contempla la escena, frío, frío. El señor le ve y, sudoroso, descompuesto, fuera de sí, se dirige amenazador a Paula.)*

EL ODIOSO SEÑOR. ¡Devuélvame ese dinero! ¡Pronto! ¡Devuélvame ese dinero! ¡Canallas!

PAULA. *(Tirándole el dinero, que el señor recoge.)* ¡Ahí va su dinero!

EL ODIOSO SEÑOR. ¡Devuélvame las medias!

PAULA. *(Tirándole las medias.)* ¡Ahí van sus medias!

EL ODIOSO SEÑOR. ¡Devuélvame las flores!

PAULA. *(Tirándoselas.)* ¡Ahí van las flores!

EL ODIOSO SEÑOR. ¡Canallas! ¿Qué os habíais creído? *(Va acercándose a la puerta del foro y la abre.)* ¿Pensábais engañarme entre los dos? ¡A mí! ¡A mí! ¡Canallas!

> *(Y hace mutis.)*

BUBY. *(Frío.)* ¿Sentiste escrúpulos?

PAULA. Sí. Él había pensado lo que no era. Es un bárbaro, Buby...

BUBY. Probablemente te gustará más que te bese el malabarista...

PAULA. *(Nerviosa.)* ¡No sé! ¡Dejadme en paz! ¡Vete tú también! ¡Dejadme en paz todos!

BUBY. Linda Paula... Acuérdate de lo que te digo, ¿no? Has echado todo a perder... ¡Todo! Será mejor que no sigas pensando en ese muchacho, porque si no, te mato a ti o le mato a él... ¿Entiendes, Paula? ¡Vivan las muchachas que hacen caso a lo que les dices Buby!

> *(Y hace mutis por la izquierda. Paula se sienta en el sofá con ceñito de disgusto y, por la izquierda, vuelven a entrar Fanny y El anciano militar, que como antes, cogidos del brazo y paseando, atraviesan la escena de un lado a otro. Pero esta vez ya Fanny lleva todas las cruces prendidas en su pecho. Al anciano militar sólo le queda una. La más grande.)*

EL ANCIANO MILITAR. Ya le he dado todas las cruces. Sólo me queda una. La que más trabajo me ha costado ganar... La que conseguí peleando con los cosacos. Y, ahora, ¿accede usted a escaparse conmigo? Venga usted junto a mí. Nos iremos a América y allí seremos felices. Pondremos un gran rancho y criaremos gallinitas...

FANNY. Yo quiero que me dé usted esa otra cruz...

EL ANCIANO MILITAR. No. Ésta no puedo dársela, señorita...

FANNY. Pues entonces no me voy con usted...

EL ANCIANO MILITAR. ¡Oh, señorita...! ¿Y si se la diese...? *(Se van por la izquierda. Pero a los pocos momentos vuelven a salir, ella con la gran cruz, con una maleta, el sombrero y un abrigo, y él con el capote y el ros de plumero. Y, muy amartelados, se dirigen a la puerta del foro.)* ¡Oh, Fanny, mira que si tuviéramos un niño rubio...!

FANNY. ¡Por Dios, Alfredo!

> *(Y hacen mutis por la puerta del foro. Paula sigue en su misma actitud pensativa. Y ahora, por la izquierda, entra Dionisio con ojos de haber dormido. Y se fija en Paula, a la que es posible que se le hayan saltado las lágrimas, de soberbia.)*

DIONISIO. ¿Está usted llorando?

PAULA. No lloro.

DIONISIO.   ¿Está triste porque no he venido? Yo estaba ahí durmiendo con unos amigos... *(Paula calla.)* ¿Ha reñido usted con ese negro? ¡Debemos linchar al negro! ¡Nuestra obligación es linchar al negro!

PAULA.   Para linchar a un negro es preciso que se reúna mucha gente...

DIONISIO.   Yo organizaré una suscripción...

PAULA.   No.

DIONISIO.   Si a mí no me molesta...

PAULA.   *(Con cariño.)* Dionisio...

DIONISIO.   ¿Qué?

PAULA.   Siéntese aquí..., conmigo...

DIONISIO.   *(Sentándose a su lado.)* Bueno.

PAULA.   Es preciso que nosotros seamos buenos amigos... ¡Si supiese usted lo contenta que estoy desde que le conozco...! Me encontraba tan sola... ¡Usted no es como los demás! Yo, con los demás, a veces tengo miedo. Con usted, no. La gente es mala..., los compañeros del Music-Hall no son como debieran ser... Los caballeros de fuera del Music-Hall tampoco son como debieran ser los caballeros... *(Dionisio, distraído, coge la carraca que se quedó por allí y empieza a tocarla, muy entretenido.)* Y, sin embargo, hay que vivir con la gente, porque si no una no podría beber nunca champaña, ni llevar lindas pulseras en los brazos... ¡Y el champaña es hermoso... y las pulseras llenan siempre los brazos de alegría!... Además es necesario divertirse... Es muy triste estar sola... Las muchachas como yo se mueren de tristeza en las habitaciones de estos hoteles... Es preciso que usted y yo seamos buenos amigos... ¿Quieres que nos hablemos de tú...?

DIONISIO.   Bueno. Pero un ratito nada más...

PAULA.   No. Siempre. Nos hablaremos de tú ¡siempre! Es mejor... Lo malo..., lo malo es que tú no seguirás con nosotros cuando terminemos de trabajar aquí... Y cada uno nos iremos por nuestro lado... Es imbécil esto de tener que separarnos tan pronto, ¿verdad...? A no ser que tú necesitaras una *partenaire* para tu número... ¡Oh! ¡Así podríamos estar más tiempo juntos...! Yo aprendería a hacer malabares, ¿no? ¡A jugar también con tres sombreros de copa...!

*(A Dionisio se le ha descompuesto su carraca. Ya no
suena. Por este motivo, él se pone triste.)*

DIONISIO.   Se ha descompuesto...

PAULA.   *(Cogiendo la carraca y arreglándola.)* Es así.
*(Y se la vuelve a dar a Dionisio, que sigue tocándola, tan di-
vertido.)* ¡Es una lástima que tú no necesites una *partenaire*
para tu número! ¡Pero no importa! Estos días los pasaremos muy bien, ¿sabes...? Mira... Mañana saldremos de
paseo. Iremos a la playa..., junto al mar... ¡Los dos solos!
Como dos chicos pequeños, ¿sabes? ¡Tú no eres como los
demás caballeros! ¡Hasta la noche no hay función! ¡Tenemos toda la tarde para nosotros! Compraremos cangrejos...
¿Tú sabes mondar bien las patas de los cangrejos? Yo sí.
Yo te enseñaré..., los comeremos allí, sobre la arena... Con
el mar enfrente. ¿Te gusta a ti jugar con la arena? ¡Es maravilloso! Yo sé hacer castillitos y un puente con su ojo en
el centro por donde pasa el agua... ¡Y sé hacer un volcán!
Se meten papeles dentro y se queman, ¡y sale humo...!
¿Tú no sabes hacer volcanes?

DIONISIO.   *(Ya ha dejado la carraca y se va animando
poco a poco.)* Sí.

PAULA.   ¿Y castillos?

DIONISIO.   Sí.

PAULA.   ¿Con jardín?

DIONISIO.   Sí, con jardín. Les pongo árboles y una fuen-
te en medio y una escalera con sus peldaños para subir a
la torre del castillo.

PAULA.   ¿Una escalera de arena? ¡Oh, eres un chico maravilloso! Dionisio, yo no la sé hacer...

DIONISIO.   Yo sí. También sé hacer un barco y un tren...
¡Y figuras! También sé hacer un león...

PAULA.   ¡Oh! ¡Qué bien! ¿Lo estás viendo? ¿Lo estás
viendo, Dionisio? ¡Ninguno de esos caballeros sabe hacer
con arena ni volcanes, ni castillos, ni leones! ¡Ni Buby
tampoco! ¡Ellos no saben jugar! Yo sabía que tú eras distinto... Me enseñarás a hacerlos, ¿verdad? Iremos mañana...

(Pausa. Dionisio, al oír la palabra «mañana», pierde de pronto su alegría y su entusiasmo por los juegos junto al mar.)

DIONISIO. ¿Mañana…?
PAULA. ¡Mañana!
DIONISIO. No.
PAULA. ¿Por qué?
DIONISIO. Porque no puedo.
PAULA. ¿Tienes que ensayar?
DIONISIO. No.
PAULA. Entonces…, entonces, ¿qué tienes que hacer?
DIONISIO. Tengo… que hacer.
PAULA. ¡Lo dejas para otro día! ¡Hay muchos días! ¡Qué más da! ¿Es muy importante lo que tienes que hacer…?
DIONISIO. Sí.
PAULA. ¿Negocio?
DIONISIO. Negocio.

(Pausa.)

PAULA. *(De pronto.)* Novia no tendrás tú, ¿verdad…?
DIONISIO. No; novia, no.
PAULA. ¡No debes tener novia! ¿Para qué quieres tener novia? Es mejor que tengas sólo una amiga buena, como yo… Se pasa mejor… Yo no quiero tener novio… porque yo no me quiero casar. ¡Casarse es ridículo! ¡Tan tiesos! ¡Tan pálidos! ¡Tan bobos! Qué risa, ¿verdad…? ¿Tú piensas casarte alguna vez?
· DIONISIO. Regular.
PAULA. No te cases nunca… Estás mejor así… Así estás más guapo… Si tú te casas, serás desgraciado… Y engordarás bajo la pantalla del comedor… Y, además, ya nosotros no podremos ser amigos más… ¡Mañana iremos a la playa a comer cangrejos! Y pasado mañana tú te levantarás temprano y yo también… Nos citaremos abajo y nos iremos en seguida al puerto y alquilaremos una barca… ¡Una barca sin barquero! Y nos llevamos el bañador y nos bañamos lejos de la playa, donde no se haga pie… ¿Tú sabes nadar…?
DIONISIO. Sí. Nado muy bien…

PAULA.   Más nado yo. Yo resisto mucho. Ya lo verás...

DIONISIO.   Yo sé hacer el muerto y bucear...

PAULA.   Yo hago la carpa... y, desde el trampolín, sé hacer el ángel...

DIONISIO.   Y yo cojo del fondo diez céntimos con la boca...

PAULA.   ¡Oh! ¡Qué bien! ¡Qué gran día mañana! ¡Y pasado! ¡Ya verás, Dionisio, ya verás! ¡Nos tostaremos al sol!

SAGRA.   *(Por la lateral izquierda, con el abrigo y el sombrero puestos.)* ¡Paula! ¡Paula! ¡Ven! ¡Mira! ¿Sabes una cosa? ¡Hemos decidido irnos todos al puerto a ver amanecer! El puerto está cerca y ya casi es de día. Nos llevaremos las botellas que quedan y allí las beberemos junto a los pescadores que salen a la mar... ¡Lo pasaremos muy bien! ¡Vamos todos a ver amanecer!...

> *(De la habitación de la izquierda empieza a salir gente. Madame Olga ya vestida. El guapo muchacho. Trudy y El romántico enamorado. El explorador. Y el Coro de viejos extraños. El último, El cazador astuto, con cuatro perros atados, que sería encantador que fueran ladrando. Todos van en fila y cogidos del brazo. Todos llevan botellas en la mano.)*

EL GUAPO MUCHACHO.   *(Casi cantando.)* ¡Vamos a ver amanecer!

TODOS.   ¡Vamos a ver amanecer!

EL ROMÁNTICO ENAMORADO.   ¡Frente a las aguas de la bahía!...

TODOS.   ¡Frente a las aguas de la bahía!...

EL ALEGRE EXPLORADOR.   ¡Y después tiraremos al mar la botella que quede vacía!...

UNOS.   *(Saliendo por la puerta del foro.)* ¡Vamos a ver amanecer!

OTROS.   ¡Frente a las aguas de la bahía!

> *(Y se van todos.)*

PAULA.   *(Alegre.)* ¿Vamos, Dionisio?

DIONISIO.   ¿Qué hora es?

PAULA.   Deben de ser cerca de las seis...

DIONISIO. ¿Cerca de las seis?

PAULA. Sí. Ya pronto amanecerá...

DIONISIO. No puede ser... ¡Las seis! ¡Son cerca de las seis!

PAULA. Pero ¿qué tienes, Dionisio? ¿Por qué estás así? ¡Vamos con ellos!...

DIONISIO. No. No voy.

PAULA. ¿Por qué?

DIONISIO. Porque estoy enfermo... Me duele mucho la cabeza... Bebí demasiado... No. Todo esto es absurdo. Yo no puedo hacer esto... ¡Ya son cerca de las seis!... Yo quiero estar solo... Yo necesito estar solo...

PAULA. Ven, Dionisio... Yo quiero ir contigo... Si tú no vas, me quedo también yo... aquí, junto a ti... ¡Yo no puedo estar separada de ti! *(Se acerca a él mucho, con amor.)* ¡Tú eres un chico muy maravilloso! *(Apoya la cabeza en el hombro de Dionisio, ofreciéndole la boca.)* ¡Me gustas tanto!

> *(Y se besan muy fuerte. Pero Buby, silenciosamente, ha salido por la izquierda y ha visto este beso maravilloso. Y, fríamente, se acerca a ellos y da un fuerte golpe en la nuca a Paula, que cae al suelo, dando un pequeño grito. Después, muy rápidamente, Buby huye por la puerta del foro, cerrándola al salir. Paula, en el suelo, con los ojos cerrados, no se mueve. Quizá está desmayada, o muerta. Dionisio, espantado, va de una puerta a otra, unas veces corriendo y otras muy despacito. Está más grotesco que nunca.)*

DIONISIO. ¿Qué es esto? ¿Qué es esto, Dios mío? ¡No es posible!... *(Y, de pronto, suena el timbre del teléfono. Dionisio toma el auricular y habla.)* ¿Eh? ¿Quién? Sí. Soy yo, Dionisio... No, no me ha pasado nada... Estoy bien. ¿Te has asustado porque no contesté cuando llamaste? ¡Oh, no! ¡Me dolía mucho la cabeza y salí! Salí a la calle a respirar el aire. Sí. Por eso no podía contestar cuando llamabas... ¿Qué dices? ¿Eh? ¿Qué viene tu padre? ¿A qué? ¡Pero si no pasa nada! ¡Es estúpido que le hayas hecho venir!... No ocurre nada... No pasa nada... *(Y llaman a la puerta del foro.)* ¡Ah! *(Al teléfono.)* Han llamado a la puerta... Sí..., debe ser tu padre... Sí...

*(Al ir, nerviosamente, hacia la puerta, tira del auricu-
lar y rompe el cordón. Intenta arreglarlo. No puede. Se
desconcierta aún más.)*

DON SACRAMENTO.   *(Dentro.)* ¡Dionisio! ¡Dionisio! *(Dionisio, con auricular en la mano, y todo muy rápidamente,
corre hacia la puerta. No sabe qué hacer. Va hacia Paula y
se arrodilla junto a ella. Pone su oído en el pecho de Paula,
intentando oír su corazón. Hace un gesto de pánico. Y ahora
pone el extremo del cordón del teléfono, que lleva en la mano,
junto al corazón de Paula y escucha por el auricular, «como
el sabio doctor». Don Sacramento, dentro, golpeando.)* ¡Dionisio! ¡Dionisio!

DIONISIO.   *(Contestando también por el auricular.)* ¡Un
momento! ¡Voy!

*(Y cogiendo a Paula por debajo de los brazos, des-
garbadamente, ridículamente, intenta ocultarla tras de la
cama, mientras cae el*

TELÓN

ACTO TERCERO

La misma decoración. Continúa la acción del segundo acto, un minuto después en que éste quedó interrumpido

(Dionisio acaba de ocultar el cuerpo de Paula tras de la cama y el biombo, mientras sigue llamando don Sacramento. Dionisio, una vez asegurado que Paula está bien oculta, va a abrir.)

Don Sacramento. *(Dentro.)* ¡Dionisio! ¡Dionisio! ¡Abra! ¡Soy yo! ¡Soy don Sacramento! ¡Soy don Sacramento! ¡Soy don Sacramento!...

Dionisio. Sí... Ya voy... *(Abre. Entra don Sacramento, con levita, sombrero de copa y un paraguas.)* ¡Don Sacramento!

Don Sacramento. ¡Caballero! ¡Mi niña está triste! Mi niña, cien veces llamó por teléfono, sin que usted contestase a sus llamadas. La niña está triste y la niña llora. La niña pensó que usted se había muerto. La niña está pálida... ¿Por qué martiriza usted a mi pobre niña?...

Dionisio. Yo salí a la calle, don Sacramento... Me dolía la cabeza... No podía dormir... Salí a pasear bajo la lluvia. Y en la misma calle, di dos o tres vueltas... Por eso yo no oí que ella me llamaba... ¡Pobre Margarita!... ¡Cómo habrá sufrido!

Don Sacramento. La niña está triste. La niña está triste y la niña llora. La niña está pálida. ¿Por qué martiriza usted a mi pobre niña?...

Dionisio. Don Sacramento... Ya se lo he dicho... Yo salí a la calle... No podía dormir.

111

DON SACRAMENTO. La niña se desmayó en el sofá malva de la sala rosa... ¡Ella creyó que usted se había muerto! ¿Por qué salió usted a la calle a pasear bajo la lluvia?...

DIONISIO. Me dolía la cabeza, don Sacramento...

DON SACRAMENTO. ¡Las personas decentes no salen por la noche a pasear bajo la lluvia...! ¡Usted es un bohemio, caballero!

DIONISIO. No, señor.

DON SACRAMENTO. ¡Sí! ¡Usted es un bohemio, caballero! ¡Sólo los bohemios salen a pasear de noche por las calles!

DIONISIO. ¡Pero es que me dolía mucho la cabeza!

DON SACRAMENTO. Usted debió ponerse dos ruedas de patata en las sienes...

DIONISIO. Yo no tenía patatas...

DON SACRAMENTO. Las personas decentes deben llevar siempre patatas en los bolsillos, caballero... Y también deben llevar tafetán para las heridas... Juraría que usted no lleva tafetán...

DIONISIO. No, señor.

DON SACRAMENTO. ¿Lo está usted viendo? ¡Usted es un bohemio, caballero!... Cuando usted se case con la niña, usted no podrá ser tan desordenado en el vivir. ¿Por qué está así este cuarto? ¿Por qué hay lana de colchón en el suelo? ¿Por qué hay papeles? ¿Por qué hay latas de sardinas vacías? *(Cogiendo la carraca que estaba en el sofá.)* ¿Qué hace aquí esta carraca?

> *(Y se queda con ella, distraído, en la mano. Y, de cuando en cuando, la hará sonar, mientras habla.)*

DIONISIO. Los cuartos de los hoteles modestos son así... Y éste es un hotel modesto... ¡Usted lo comprenderá, don Sacramento!...

DON SACRAMENTO. Yo no comprendo nada. Yo no he estado nunca en ningún hotel. En los hoteles sólo están los grandes estafadores europeos y las vampiresas internacionales. Las personas decentes están en sus casas y reciben a sus visitas en el gabinete azul, en donde hay muebles dorados y antiguos retratos de familia... ¿Por qué no ha puesto usted en este cuarto los retratos de su familia, caballero?

DIONISIO. Yo sólo pienso estar aquí esta noche...

DON SACRAMENTO. ¡No importa, caballero! Usted debió poner cuadros en las paredes. Sólo los asesinos o los monederos falsos son los que no tienen cuadros en las paredes... Usted debió poner el retrato de su abuelo con el uniforme de maestrante...

DIONISIO. Él no era maestrante... Él era tenedor de libros...

DON SACRAMENTO. ¡Pues con el uniforme de tenedor de libros! ¡Las personas honradas se tienen que retratar de uniforme, sean tenedores de libros o sean lo que sean! ¡Usted debió poner también el retrato de un niño en traje de primera comunión!

DIONISIO. Pero ¿qué niño iba a poner?

DON SACRAMENTO. ¡Eso no importa! ¡Da lo mismo! Un niño. ¡Un niño cualquiera! ¡Hay muchos niños! ¡El mundo está lleno de niños de primera comunión!... Y también debió usted poner cromos... ¿Por qué no ha puesto usted cromos? ¡Los cromos son preciosos! ¡En todas las casas hay cromos! «Romeo y Julieta hablando por el balcón de su jardín», «Jesús orando en el Huerto de los Olivos», «Napoleón Bonaparte, en su destierro de la isla de Santa Elena»... *(En otro tono, con admiración.)* Qué gran hombre Napoleón, ¿verdad?

DIONISIO. Sí. Era muy belicoso... ¿Era ese que llevaba siempre así la mano?

(Se mete la mano en el pecho.)

DON SACRAMENTO. *(Imitando la postura.)* Efectivamente, llevaba siempre así la mano...

DIONISIO. Debía de ser muy difícil, ¿verdad?

DON SACRAMENTO. *(Con los ojos en blanco.)* ¡Sólo un hombre como él podía llevar siempre así la mano!...

DIONISIO. *(Poniéndose la otra mano en la espalda.)* Y la otra la llevaba así...

DON SACRAMENTO. *(Haciendo lo mismo.)* Efectivamente, así la llevaba.

DIONISIO. ¡Qué hombre!

DON SACRAMENTO. ¡Napoleón Bonaparte!... *(Pausa admirativa, haciendo los dos de Napoleón. Después, don*

Sacramento sigue hablando en el mismo tono anterior.) Usted tendrá que ser ordenado... ¡Usted vivirá en mi casa, y mi casa es una casa honrada! ¡Usted no podrá salir por las noches a pasear bajo la lluvia! Usted, además, tendrá que levantarse a las seis y cuarto para desayunar a las seis y media un huevo frito con pan...

DIONISIO. A mí no me gustan los huevos fritos...

DON SACRAMENTO. ¡A las personas honorables las tienen que gustar los huevos fritos, señor mío! Toda mi familia ha tomado siempre huevos fritos para desayunar... Sólo los bohemios toman café con leche y pan con manteca.

DIONISIO. Pero es que a mí me gustan más pasados por agua... ¿No me los podían ustedes hacer a mí pasados por agua...?

DON SACRAMENTO. No sé. No sé. Eso lo tendremos que consultar con mi señora. Si ella lo permite, yo no pondré inconveniente alguno. ¡Pero le advierto a usted que mi señora no tolera caprichos con la comida!...

DIONISIO. *(Ya casi llorando.)* ¡Pero yo qué le voy a hacer si me gustan más pasados por agua, hombre!

DON SACRAMENTO. Nada de cines, ¿eh?... Nada de teatros. Nada de bohemia... A las siete, la cena... Y después de la cena, los jueves y los domingos, haremos una pequeña juerga. *(Picaresco.)* Porque también el espíritu necesita expansionarse, ¡qué diablo! *(En este momento se le descompone la carraca, que estaba tocando. Y se queda muy preocupado.)* ¡Se ha descompuesto!...

DIONISIO. *(Como en el acto anterior Paula, él la coge y se la arregla.)* Es así. *(Y se la vuelve a dar a don Sacramento que, muy contento, la toca de cuando en cuando.)* La niña, los domingos, tocará el piano, Dionisio ... Tocará el piano, y quizá, quizá, si estamos en vena, quizá recibamos alguna visita... Personas honradas, desde luego... Por ejemplo, haré que vaya el señor Smith... Usted se hará en seguida amigo suyo y pasará charlando con él muy buenos ratos... El señor Smith es una persona muy conocida... Su retrato ha aparecido en todos los periódicos del mundo... ¡Es el centenario más famoso de la población! Acaba de cumplir ciento veinte años y aún conserva cinco dientes... ¡Usted se pasará hablando con él toda la noche!... Y también irá su señora...

DIONISIO. ¿Y cuántos dientes tiene su señora?

DON SACRAMENTO. ¡Oh, ella no tiene ninguno! Los perdió todos cuando se cayó por aquella escalera y quedó paralítica para toda su vida, sin poderse levantar de su sillón de ruedas... ¡Usted pasará grandes ratos charlando con este matrimonio encantador!

DIONISIO. Pero ¿y si se me mueren cuando estoy hablando con ellos? ¿Qué hago yo, Dios mío?

DON SACRAMENTO. ¡Los centenarios no se mueren nunca! ¡Entonces no tendrían ningún mérito, caballero!... *(Pausa. Don Sacramento hace un gesto, de olfatear.)* Pero... ¿a qué huelo en este cuarto?... Desde que estoy aquí noto yo un olor extraño... Es un raro olor... ¡Y no es nada agradable este olor!...

DIONISIO. Se habrán dejado abierta la puerta de la cocina...

DON SACRAMENTO. *(Siempre olfateando.)* No. No es eso... Es como si un cuerpo humano se estuviese descomponiendo...

DIONISIO. *(Aterrado. Aparte.)* ¡Dios mío! ¡Ella se ha muerto!...

DON SACRAMENTO. ¿Qué olor es éste, caballero? ¡En este cuarto hay un cadáver! ¿Por qué tiene usted cadáveres en su cuarto? ¿Es que los bohemios tienen cadáveres en su habitación?...

DIONISIO. En los hoteles modestos siempre hay cadáveres...

DON SACRAMENTO. *(Buscando.)* ¡Es por aquí! Por aquí debajo. *(Levanta la colcha de la cama y descubre los conejos que tiró El cazador. Los coge.)* ¡Oh, aquí está! ¡Dos conejos muertos! ¡Es esto lo que olía de este modo!... ¿Por qué tiene usted dos conejos debajo de su cama? En mi casa no podrá usted tener conejos en su habitación... Tampoco podrá usted tener gallinas... ¡Todo lo estropean!...

DIONISIO. Éstos no son conejos. Son ratones...

DON SACRAMENTO. ¿Son ratones?

DIONISIO. Sí, señor. Son ratones. Aquí hay muchos...

DON SACRAMENTO.   Yo nunca he visto unos ratones tan grandes...

DIONISIO.   Es que como éste es un hotel pobre, los ratones son así... En los hoteles más lujosos, los ratones son mucho más pequeños... Pasa igual que con las barritas de Viena...

DON SACRAMENTO.   ¿Y los ha matado usted?

DIONISIO.   Sí. Los he matado yo con una escopeta. El dueño le da a cada huésped una escopeta para que mate los ratones...

DON SACRAMENTO.   *(Mirando una etiqueta del conejo.)* Y estos números que tienen al cuello, ¿qué significan? Aquí pone 3,50...

DIONISIO.   No es 3,50. Es 350. Como hay tantos, el dueño los tiene numerados, para organizar concursos. Y al huésped que, por ejemplo, mate el número 14, le regala un mantón de Manila o una plancha eléctrica...

DON SACRAMENTO.   ¡Qué lástima que no le haya a usted tocado el mantón! ¡Podríamos ir a la verbena!... ¿Y qué piensa usted hacer con estos ratones?...

DIONISIO.   No lo he pensado todavía... Si quiere usted se los regalo...

DON SACRAMENTO.   ¿A usted no le hacen falta?

DIONISIO.   No. Yo ya tengo muchos. Se los envolveré en un papel.

> *(Coge un papel que hay en cualquier parte y se los envuelve. Después se los da.)*

DON SACRAMENTO.   Muchas gracias, Dionisio. Yo se los llevaré a mis sobrinitos para que jueguen... ¡Ellos recibirán una gran alegría!... Y ahora, adiós, Dionisio. Voy a consolar a la niña, que aún estará desmayada en el sofá malva de la sala rosa... *(Mira el reloj.)* Son las seis cuarenta y tres. Dentro de un rato, el coche vendrá a buscarle para ir a la iglesia... Esté preparado... ¡Qué emoción! ¡Dentro de unas horas usted será esposo de mi Margarita!...

DIONISIO.   Pero ¿le dirá usted a su señora que a mí me gustan más los huevos pasados por agua?

DON SACRAMENTO.   Sí. Se lo diré. Pero no me entretenga. ¡Oh, Dionisio! Ya estoy deseando llegar a casa para regalarles esto a mis sobrinitos... ¡Cómo van a llorar de alegría los pobres pequeños niños!

DIONISIO.   ¿Y también les va usted a regalar la carraca?

DON SACRAMENTO.   ¡Oh, no! ¡La carraca es para mí!

(Y se va por la puerta del foro. Paula asoma la cabeza por detrás de la cama y mira a Dionisio tristemente. Dionisio, que ha ido a cerrar la puerta, al volverse, la ve.)

PAULA.   ¡Oh! ¿Por qué me ocultaste esto? ¡Te casas, Dionisio!...

DIONISIO.   *(Bajando la cabeza.)* Sí...

PAULA.   No eras ni siquiera un malabarista...

DIONISIO.   No.

PAULA.   *(Se levanta. Va hacia la puerta de la izquierda.)* Entonces yo debo irme a mi habitación...

DIONISIO.   *(Deteniéndola.)* Pero tú estabas herida... ¿Qué te hizo Buby?

PAULA.   Fue un golpe nada más... Me dejó K. O. ¡Debí de perder el conocimiento unos momentos! Es muy bruto Buby... Me puede siempre... *(Después.)* ¡Te casas, Dionisio!...

DIONISIO.   Sí.

PAULA.   *(Intentando nuevamente irse.)* Yo me voy a mi habitación...

DIONISIO.   No.

PAULA.   ¿Por qué?

DIONISIO.   Porque esta habitación es más bonita. Desde el balcón se ve el puerto...

PAULA.   ¡Te casas, Dionisio!

DIONISIO.   Sí. Me caso, pero poco...

PAULA.   ¿Por qué no me lo dijiste...?

DIONISIO.   No sé. Tenía el presentimiento de que casarse era ridículo... ¡Que no me debía casar...! Ahora veo que no estaba equivocado... Pero yo me casaba, porque yo me he pasado la vida metido en un pueblo pequeñito y triste y pensaba que para estar alegre había que casarse con la primera muchacha que, al mirarnos, le palpitase el pecho de ternura... Yo adoraba a mi novia... Pero ahora veo que en mi novia no está la alegría que yo buscaba... A mi novia tampoco le gusta ir a comer cangrejos frente al mar, ni ella se divierte haciendo volcanes en la arena... Y ella no sabe nadar... Ella, en el agua, da gritos ridículos... Hace así: «¡Ay! ¡Ay! ¡Ay!» Y ella sólo ama cantar junto al piano *El pescador de perlas*. Y *El pescador de perlas* es horroroso, Paula. Ella tiene voz de querubín, y hace así: *(Canta.)* Tralaralá... piri, piri, piri, piri... Y yo no había caído en que las voces de querubín están llenas de vanidad y que, en cambio, hay discos de gramófono que se titulan «Ámame en diciembre lo mismo que me amas en mayo», y que nos llenan el espíritu de sencillez y de ganas de dar saltos mortales... Yo no sabía tampoco que había mujeres como tú, que al hablarnos no les palpita el corazón, pero les palpitan los labios en un constante sonreír... Yo no sabía nada de nada. Yo sólo sabía pasear silbando junto al quiosco de la música... Yo me casaba porque todos se casan siempre a los veintisiete años... Pero ya no me caso, Paula... ¡Yo no puedo tomar huevos fritos a las seis y media de la mañana...!

PAULA. *(Ya sentada en el sofá.)* Ya te ha dicho ese señor del bigote que los harán pasados por agua...

DIONISIO. ¡Es que a mí no me gustan tampoco pasados por agua! ¡A mí sólo me gusta el café con leche, con pan y manteca! ¡Yo soy un terrible bohemio! Y lo más gracioso es que yo no lo he sabido hasta esta noche que viniste tú... y que vino el negro..., y que vino la mujer barbuda... Pero yo no me caso, Paula. Yo me marcharé contigo y aprenderé a hacer juegos malabares con tres sombreros de copa...

PAULA. Hacer juegos malabares con tres sombreros de copa es muy difícil... Se caen siempre al suelo...

DIONISIO. Yo aprenderé a bailar como bailas tú y como baila Buby...

PAULA. Bailar es más difícil todavía. Duelen mucho las piernas y apenas gana uno dinero para vivir...

DIONISIO. Yo tendré paciencia y lograré tener cabeza de vaca y cola de cocodrilo...

PAULA. Eso cuesta aún más trabajo... Y después, la cola molesta muchísimo cuando se viaja en el tren...

(Dionisio va a sentarse junto a ella.)

DIONISIO. ¡Yo haré algo extraordinario para poder ir contigo!... ¡Siempre me has dicho que soy un muchacho muy maravilloso!...

PAULA. Y lo eres. Eres tan maravilloso, que dentro de un rato te vas a casar, y yo no lo sabía...

DIONISIO. Aún es tiempo. Dejaremos todo esto y nos iremos a Londres...

PAULA. ¿Tú sabes hablar inglés?

DIONISIO. No. Pero nos iremos a un pueblo de Londres. La gente de Londres habla inglés porque todos son riquísimos y tienen mucho dinero para aprender esas tonterías. Pero la gente de los pueblos de Londres, como son más pobres y no tienen dinero para aprender esas cosas, hablan como tú y como yo... ¡Hablan como en todos los pueblos del mundo!... ¡Y son felices!...

PAULA. ¡Pero en Inglaterra hay demasiados detectives!...

DIONISIO. ¡Nos iremos a La Habana!

PAULA. En La Habana hay demasiados plátanos...

DIONISIO. ¡Nos iremos al desierto!

PAULA. Allí se van todos los que se disgustan, y ya los desiertos están llenos de gente y de piscinas.

DIONISIO. *(Triste.)* Entonces es que tú no quieres venir conmigo.

PAULA. No. Realmente yo no quisiera irme contigo, Dionisio...

DIONISIO. ¿Por qué?

(Pausa. Ella no quiere hablar. Se levanta y va hacia el balcón.)

PAULA. Voy a descorrer las cortinas del balcón. *(Lo hace.)* Ya debe de estar amaneciendo... Y aún llueve... ¡Dionisio, ya han apagado las lucecitas del puerto! ¿Quién será el que las apaga?

DIONISIO. El farolero.

PAULA. Sí, debe de ser el farolero.

DIONISIO. Paula..., ¿no me quieres?

PAULA. *(Aún desde el balcón.)* Y hace frío...

DIONISIO. *(Cogiendo una manta de la cama.)* Ven junto a mí... Nos abrigaremos los dos con esta manta... *(Ella va y se sientan los dos juntos, cubriéndose las piernas con la manta.)* ¿Quieres a Buby?

PAULA. Buby es mi amigo. Buby es malo. Pero el pobre Buby no se casa nunca... Y los demás se casan siempre... Esto no es justo, Dionisio...

DIONISIO. ¿Has tenido muchos novios?

PAULA. ¡Un novio en cada provincia y un amor en cada pueblo! En todas partes hay caballeros que nos hacen el amor... ¡Lo mismo es que sea noviembre o que sea en el mes de abril! ¡Lo mismo que haya epidemias o que haya revoluciones...! ¡Un novio en cada provincia...! ¡Realmente es muy divertido...! Lo malo es, Dionisio, lo malo es que todos los caballeros estaban casados ya, y los que aún no lo estaban escondían ya en la cartera el retrato de una novia con quien se iban a casar... Dionisio, ¿por qué se casan todos los caballeros...? ¿Y por qué, si se casan, lo ocultan a las chicas como yo...? ¡Tú también tendrás ya en la cartera el retrato de una novia...! ¡Yo aborrezco las novias de mis amigos...! Así no es posible ir con ellos junto al mar... Así no es posible nada... ¿Por qué se casan todos los caballeros...?

DIONISIO. Porque ir al fútbol siempre, también aburre.

PAULA. Dionisio, enséñame el retrato de tu novia.

DIONISIO. No.

PAULA. ¡Qué más da! ¡Enséñamelo! Al final lo enseñan todos...

DIONISIO. *(Saca una cartera. La abre. Paula curiosea.)* Mira...

PAULA. *(Señalando algo.)* ¿Y esto? ¿También un rizo de pelo...?

DIONISIO. No es de ella. Me lo dio madame Olga... Se lo cortó de la barba, como un pequeño recuerdo... *(Le enseña una fotografía.)* Este es su retrato, mira...

PAULA. *(Lo mira despacio. Después.)* ¡Es horrorosa, Dionisio...!

DIONISIO. Sí.

PAULA. Tiene demasiados lunares...

DIONISIO. Doce. *(Señalando con el dedo.)* Esto de aquí es otro...

PAULA. Y los ojos son muy tristes... No es nada guapa, Dionisio...

DIONISIO. Es que en este retrato está muy mal... Pero tiene otro, con un vestido de portuguesa, que si lo vieras... *(Poniéndose de perfil con un gesto forzado.)* Está así...

PAULA. ¿De perfil?

DIONISIO. Sí. De perfil. Así.

(Lo repite.)

PAULA. ¿Y está mejor?

DIONISIO. Sí. Porque no se le ven más que seis lunares...

PAULA. Además, yo soy más joven...

DIONISIO. Sí. Ella tiene veinticinco años...

PAULA. Yo, en cambio... ¡Bueno! Yo debo de ser muy joven, pero no sé con certeza la edad mía... Nadie me lo ha dicho nunca... Es gracioso, ¿no? En la ciudad vive una amiga que se casó... Ella también bailaba con nosotros. Cuando voy a la ciudad siempre voy a su casa. Y en la pared del comedor señalo con una raya mi estatura. ¡Y cada vez señalo más alta la raya...! ¡Dionisio, aún estoy creciendo...! ¡Es encantador estar creciendo todavía...! Pero cuando ya la raya no suba más alta, esto indicará que he dejado de crecer y que soy vieja... Qué tristeza entonces, ¿verdad? ¿Qué hacen las chicas como yo cuando son viejas...? *(Mira otra vez el retrato.)* ¡Yo soy más guapa que ella...!

DIONISIO. ¡Tú eres mucho más bonita! ¡Tú eres más bonita que ninguna! Paula, yo no me quiero casar. Tendré unos niños horribles... ¡y criaré el ácido úrico...!

PAULA. ¡Ya es de día, Dionisio! ¡Tengo ganas de dormir...!

DIONISIO. Echa tu cabeza sobre mi hombro... Duerme junto a mí...

PAULA. *(Lo hace.)* Bésame, Dionisio. *(Se besan.)* ¿Tu novia nunca te besa...?

DIONISIO. No.

PAULA. ¿Por qué?

DIONISIO. No puede hasta que se case...

PAULA. Pero ¿ni una vez siquiera?

DIONISIO. No, no. Ni una vez siquiera. Dice que no puede.

PAULA. Pobre muchacha, ¿verdad? Por eso tiene los ojos tan tristes... *(Pausa.)* ¡Bésame otra vez, Dionisio...!

DIONISIO. *(La besa nuevamente.)* ¡Paula! ¡Yo no me quiero casar! ¡Es una tontería! ¡Ya nunca sería feliz! Unas horas solamente todo me lo han cambiado... Pensé salir de aquí hacia el camino de la felicidad y voy a salir hacia el camino de la ñoñería y de la hiperclorhidria...

PAULA. ¿Qué es la hiperclorhidria?

DIONISIO. No sé, pero debe de ser algo imponente... ¡Vamos a marcharnos juntos...! ¡Dime que me quieres, Paula!

PAULA. ¡Déjame dormir ahora! ¡Estamos tan bien así...!

> *(Pausa. Los dos, con las cabezas juntas, tienen cerrados los ojos. Cada vez hay más luz en el balcón. De pronto, se oye el ruido de una trompeta que toca a diana y que va acercándose más cada vez. Luego se oyen unos golpes en la puerta del foro.)*

DON ROSARIO. *(Dentro.)* ¡Son las siete, don Dionisio! ¡Ya es hora de que se arregle! ¡El coche no tardará! ¡Son las siete, don Dionisio!

> *(Él queda desconcertado. Hay un silencio. Y ella bosteza y dice.)*

PAULA. Son ya las siete, Dionisio. Ya te tienes que vestir.

DIONISIO. No.

PAULA. *(Levantándose y tirando la manta al suelo.)* ¡Vamos! ¿Es que eres tonto? ¡Ya es hora de que te marches...!

DIONISIO. No quiero. Estoy muy ocupado ahora...

PAULA. *(Haciendo lo que dice.)* Yo te prepararé todo... Verás... El agua... Toallas... Anda. ¡A lavarte, Dionisio...!

DIONISIO. Me voy a constipar. Tengo muchísimo frío...

> *(Se echa en el diván, acurrucándose.)*

PAULA. No importa... Así entrarás en reacción... *(Le levanta a la fuerza.)* ¡Y esto te despejará! ¡Ven pronto!

¡Un chapuzón ahora mismo! *(Le mete la cabeza en el agua.)* ¡Así! No puedes llevar cara de sueño... Si no, te reñiría el cura... Y los monaguillos... Te reñirán todos...

DIONISIO. ¡Yo tengo mucho frío! ¡Yo me estoy ahogando...!

PAULA. Eso es bueno... Ahora, a secarte... Y te tienes que peinar... Mejor, te peinaré yo... Verás... Así... Vas a ir muy guapo, Dionisio... A lo mejor ahora te sale otra novia... Pero... ¡oye! ¿Y los sombreros de copa? *(Los coge.)* ¡Están estropeados todos...! No te va a servir ninguno... Pero ¡ya está! ¡No te apures! Mientras te pones el traje yo te buscaré uno mío. Está nuevo. ¡Es el que saco cuando bailo el charlestón...!

> *(Sale por la puerta de la izquierda. Dionisio se esconde tras el biombo y se pone los pantalones del «chaquet». En seguida entra por el foro don Rosario, vestido absurdamente de etiqueta, con el cornetín en una mano y en la otra una gran bandera blanca. Y, mientras habla, corre por la habitación como un imbécil.)*

DON ROSARIO. ¡Don Dionisio! ¡Don Dionisio...! ¡Tengo todo preparado! ¡Dése prisa en terminar! ¡Está el pasillo adornado con flores y cadenetas! ¡Las criadas tienen puesto el traje de los domingos y le tirarán *confetti!*... ¡Los camareros le tirarán migas de pan! ¡Y el cocinero tirará en su honor gallinas enteras por el aire!

DIONISIO. *(Asomándose por encima del biombo.)* Pero ¿por qué ha dispuesto usted eso...?

DON ROSARIO. No se apure, don Dionisio. Lo mismo hubiese hecho por aquel niño mío que se ahogó en el pozo... ¡He invitado a todo el barrio y todos le esperarán en el portal! ¡Las mujeres y los niños! ¡Los jóvenes y los viejos! ¡Los policías y los ladrones! ¡Dése prisa, don Dionisio! ¡Ya está todo preparado!

> *(Y se va otra vez por el foro; y con su cornetín, desde dentro, empieza a tocar una bonita marcha. Paula sale ahora con un sombrero de copa en la mano.)*

PAULA. ¡Dionisio...!

DIONISIO. *(Sale de detrás del biombo, con los pantalones*

del «chaquet» puestos y los faldones de la camisa fuera.)
¡Ya estoy...!

PAULA. ¡He encontrado ya el sombrero...! ¡Ya verás
qué bien te está! *(Se lo pone a Dionisio, a quien le está muy
mal.)* ¿Lo ves? ¡Es el que te sienta mejor...!

DIONISIO. ¡Pero esto no es serio, Paula! ¡Es un sombrero de baile...!

PAULA. ¡Así, mientras que lo tengas puesto, pensarás
cosas alegres! ¡Y ahora, el cuello! ¡La corbata!

(Empieza a ponérselo, todo muy mal.)

DIONISIO. ¡Paula! ¡Yo no me quiero casar! ¡Yo no voy
a saber qué decirle a ese señor centenario! ¡Yo te quiero
con locura...!

PAULA. *(Poniéndole el pasador del cuello.)* Pero ¿estás
llorando ahora...?

DIONISIO. Es que me estás cogiendo un pellizco...

PAULA. ¡Pues ya está! *(Termina. Le pone el «chaquet».)*
Y ahora el *chaquet*... ¡Y el pañuelo en el bolsillo! *(Le contempla, ya vestido del todo.)* Pero ¿y la camisa ésta? ¿Se
llevan así en las bodas...?

DIONISIO. *(Ocultándose tras el biombo para meterse la
camisa.)* No. Si es que...

PAULA. ¿Cómo es una boda, oye? ¿Tú lo sabes? Yo no
he ido nunca a una boda... Como me acuesto tan tarde,
no tengo tiempo de ir... Pero será así... ¡Sal ya! *(Dionisio
sale, ya con la camisa en su sitio.)* Yo soy la novia y voy
vestida de blanco con un velo hasta los pies... Y cogida
de tu brazo... *(Lo hace. Y se pasean por el cuarto.)* Y en-
traremos en la iglesia... así..., muy serios los dos... Y al
final de la iglesia habrá un cura muy simpático, con sus
guantes blancos puestos...

DIONISIO. Paula... Los curas no se ponen guantes blancos...

PAULA. ¡Cállate! ¡Habrá un cura muy simpático! Y entonces le saludaremos... «Buenos días. ¿Está usted bien?
Y su familia, ¿está buena? ¿Qué tal sigue el sacristán? Y los
monaguillos, ¿están todos buenos...?» Y les daremos un
beso a todos los monaguillos...

DIONISIO. ¡Paula! ¡A los monaguillos no se les da besos…!

PAULA. *(Enfadada.)* ¡Pues yo besaré a todos los monaguillos, porque para eso soy la novia y puedo hacer lo que quiera…!

DIONISIO. Es que… tú no serás la novia.

PAULA. ¡Es verdad! ¡Qué pena que no sea yo la novia, Dionisio…!

DIONISIO. ¡Paula! ¡Yo no me quiero casar! ¡Vámonos juntos a Chicago…!

DON ROSARIO. *(Dentro.)* ¡Don Dionisio! ¡Don Dionisio…!

DIONISIO. ¡Escóndete…! ¡Es don Rosario! ¡No debe verte en mi cuarto!

(Paula se esconde tras el biombo.)

DON ROSARIO. *(Entrando.)* ¡Ya está el coche esperándole! ¡Salga pronto, don Dionisio! ¡Es una carroza blanca con dos lacayos morenos! ¡Y dos caballitos blancos con manchas café con leche! ¡Vaya caballitos blancos! ¡Ya las criadas están tirando *confetti!* ¡Y los camareros ya tiran migas de pan! ¡Salga pronto, don Dionisio…!

DIONISIO. *(Mirando hacia el biombo, sin querer marcharse.)* Sí…, ahora voy…

DON ROSARIO. ¡No! ¡No! Delante de mí… Yo iré detrás ondeando la bandera con una mano y tocando el cornetín…

DIONISIO. Es que yo… quiero despedirme, hombre…

DON ROSARIO. ¿Del cuarto? ¡No se preocupe! ¡En los hoteles los cuartos son siempre iguales! ¡No dejan recuerdos nunca! ¡Vamos, vamos, don Dionisio…!

DIONISIO. *(Sin dejar de mirar al biombo.)* Es que… *(Paula saca una mano por encima del biombo, como despidiéndose de él.)* ¡Adiós…!

DON ROSARIO. *(Cogiéndole por las solapas del «chaquet» y llevándoselo tras él.)* ¡Viva el amor y las flores, capullito de azucena!

(Y ondea la bandera. Dionisio vuelve a despedirse con la mano. Y también Paula. Y don Rosario y Dionisio

desaparecen por el foro. Paula sale de su escondite. Se acerca a la puerta del foro y mira. Luego corre hacia el balcón y vuelve a mirar a través de los cristales. La trompeta de don Rosario sigue sonando, más lejos cada vez, interpretando una bonita marcha militar. Paula saluda con la mano, tras los cristales. Después se vuelve. Ve los tres sombreros de copa y los coge... Y, de pronto, cuando parece que se va a poner sentimental, tira los sombreros al aire y lanza el alegre grito de la pista: ¡Hoop! *Sonríe, saluda y cae el*

TELÓN

MARIBEL
Y LA EXTRAÑA FAMILIA

COMEDIA EN TRES ACTOS

Original de

MIGUEL MIHURA

(Premio Nacional de Teatro, 1959)

A Maritza Caballero,
MIGUEL.

COMEDIA EN TRES ACTOS

(Premio Nacional de Teatro, 1959)

Esta comedia se estrenó en el Teatro Infanta Beatriz, de Madrid,
la noche del 29 de septiembre de 1959

PERSONAJES

Doña Paula
Don Fernando
Doña Vicenta
Doña Matilde
Marcelino
Maribel
Don Luis Roldán
Rufi
Pili
Niní
Don José

La acción, en Madrid. Época actual
Derechas e izquierdas, las del espectador

ACTO PRIMERO

casa muy vieja

La escena representa el saloncito y cuarto de estar de una vieja casa de la calle de Hortaleza, en Madrid. Una casa burguesa y amplia que quizá fuera lujosa hace sesenta años, pero en la actualidad resulta recargada y divertidamente pasada de moda, ya que en todos estos años no se ha cambiado ni un mueble, ni una cortina, ni un pañito, ni un cachivache. Y, sin embargo, todo está limpio, lustroso y como nuevo, y en todos los detalles se aprecia el femenino esmero con que el piso es cuidado. En el foro hay una amplia puerta que da a un pequeño recibidor. Y, frente a esta puerta, debemos ver bien la de entrada al piso, con su correspondiente mirilla y cerrojo de seguridad. Tras esta segunda puerta —que juega—, forillo de escalera. Por el pequeño recibidor, a la izquierda, hay paso para que los personajes entren y salgan, suponiéndose que por este lado está el pasillo que conduce al resto de las habitaciones. En el lateral izquierda, una puerta cerrada, que comunica con otra habitación. Y a la derecha, haciendo chaflán con el foro, un espacioso mirador de cristales, dentro del cual hay sitio suficiente para una mesita, una butaca y dos jaulas. Una con canarios y la otra con una cotorra. Retratos al óleo familiares. Viejas fotografías. Y como muebles principales para el juego escénico, tendremos un piano pegado al paño de la izquierda. Una mesa redonda, colocada hacia la derecha y rodeada de tres sillas. Y hacia la izquierda, un sofá, una sillita dorada, muy ligera, y una mesa pequeña, sobre la que hay un moderno tocadiscos, que es el único objeto que rompe el equilibrio de austeridad que

131

da clima a la escena. Estamos a principios de verano y son las siete de la tarde. Las persianas de paja del mirador están echadas para que no entre el resplandor ni el calor de la calle. Antes de levantarse el telón, y ya con la batería encendida, oímos un *rock-and-roll* interpretado por Elvis Presley. Y cuando el telón se alza vemos a *doña Paula* que escucha este disco, arrobada y feliz, sentadita junto al gramófono.

> *(Doña Paula es una limpia y simpática viejecita que puede tener muchísimos años. El cabello blanco y bien peinado. El vestido negro y severo con algún encaje. El abanico colgando de una cadena que lleva al cuello. El porte y el empaque de una verdadera señora de la clase media acomodada.*
>
> *Y junto a la mesa redonda, sentados en dos sillas, hay una visita que también escucha: doña Vicenta y don Fernando. Un matrimonio insignificante, con aire modesto, aunque van bien arregladitos. De cincuenta a sesenta años cada uno. Y mientras escuchan el disco, sin demasiado interés, van comiendo chocolatinas de una caja de cartón que hay sobre la mesa.*
>
> *El disco termina, y doña Paula, entusiasmada, se dirige al matrimonio, que durante toda la escena mantendrá un gesto indiferente y como distante.)*

DOÑA PAULA. ¿Qué? ¿Qué les ha parecido?
DON FERNANDO. Precioso.
DOÑA VICENTA. Y muy fino.
DOÑA PAULA. Pues me lo ha traído mi hermana, que ha salido a la calle, y que desde que está aquí se obstina en hacerme regalitos casi constantemente. Y es que es una santa, una verdadera santita. Tan es así, que a pesar de ser mi única hermana, yo la quiero muchísimo... Ahora la cocerán ustedes. Ha ido a cambiarse de vestido y en seguida vendrá. Claro que yo hubiera preferido que en lugar de este *rock-and-roll* de Elvis Presley, me hubiera traído un *blue* de Louis Armstrong; pero por lo visto no había en la tienda. Y es que la música moderna se agota en seguida... ¡Es tan líricamente emocionante! *(Se levanta con el disco en las manos, que ha quitado del plato.)* Con el permiso de ustedes, voy a meterlo en la bolsa, para que no coja pelusa...

Son tan delicados estos microsurcos de cuarenta y cinco revoluciones, que se deterioran por cualquier bobada. *(Y va hacia un mueblecito que hay al fondo.)* Y ya lo colocaré en mi discoteca, que por cierto va creciendo como la espuma. Con este disco ya casi tengo tres... *(Y cuando está colocando el disco en el mueblecito, aparece en la puerta del fondo, saliendo por la izquierda, su hermana Matilde. Más o menos de la misma edad, y más o menos igual vestida.)* ¡Ah! Aquí está mi querida hermana... Pasa, pasa, no te quedes ahí... *(Y la coge de un brazo y la lleva hasta la mesa donde está el matrimonio, que se levanta para saludar.)* Les voy a presentar a ustedes a mi querida hermana Matilde.

DOÑA MATILDE Mucho gusto.

DOÑA PAULA. Y esta visita tan agradable, compuesta de este señor y esta señora.

DOÑA VICENTA. Encantada de conocerla.

DON FERNANDO. Lo mismo digo.

DOÑA PAULA. Siéntate aquí, Matilde, siéntate... *(Y le señala un sitio a un lado, en el sofá de la izquierda, y las dos se sientan sonrientes, mientras se dirige a doña Vicenta y a don Fernando.)* Y ustedes también pueden sentarse...

DOÑA VICENTA. Gracias.

DON FERNANDO. Gracias.

(Y también se sientan sonrientes.)

DOÑA PAULA. Les he hecho oír el precioso disco de Elvis Presley, y no sabes los elogios tan entusiastas que me han hecho de él. Todo lo que te diga es poco...

DOÑA MATILDE. Me alegro mucho de que les haya agradado.

DOÑA PAULA. Y por cierto, ¿dónde has ido a comprarlo, mi querida Matilde?

DOÑA MATILDE. Pues he ido a comprarlo a una tienda de la calle Fuencarral.

DOÑA PAULA. *(Asombrada.)* ¡No me digas? ¿Pero has ido hasta la calle de Fuencarral?

DOÑA MATILDE. Pero si vivimos en la calle de Hortaleza, mujer...

DOÑA PAULA. De todos modos has tenido que cruzar de acera a acera... ¡Pero qué horror, Matilde! ¡No debes hacer esas locuras! *(Al matrimonio.)* Yo vivo hace sesenta años en esta misma casa de la calle de Hortaleza, y nunca me he atrevido a llegar hasta la calle de Fuencarral... ¡Y eso que me han hablado tanto de ella! *(A doña Matilde.)* ¿Cuál de las dos es más bonita? Cuéntame, cuéntame...

DOÑA MATILDE. Son dos estilos diferentes. No pueden compararse...

DOÑA PAULA. ¿Pero tiene árboles? ¿Estatuas? ¿Monumentos?

DOÑA MATILDE. Si he de decirte la verdad, no me he fijado bien. Sólo crucé la calle, entré en la tienda, compré a Elvis Presley y me volví a casa... Pero a mi juicio, es más estrechita...

DOÑA PAULA. ¿Cuál de las dos? ¿Ésta o aquélla?

DOÑA MATILDE. De eso precisamente es de lo que no me acuerdo yo muy bien...

DOÑA PAULA. ¡Ah! Siendo así no he perdido nada con no verla... *(Al matrimonio, que sigue picando de las chocolatinas.)* ¿Y les gustan a ustedes las chocolatinas? Son de la fábrica de mi hermana...

DOÑA MATILDE. Mi marido al morir me dejó la fábrica, y mi hijo ahora está al frente de ella. ¡Ah! Las famosas chocolatinas «Terrón e Hijo». Producimos poco, pero en calidad nadie nos aventaja... Ustedes mismos habrán comprobado que son verdaderamente exquisitas...

DOÑA PAULA. La fábrica está emplazada en un pequeño pueblo de la provincia de Cuenca, a ciento y pico de kilómetros de Madrid, y junto a la fábrica, en un chalet, vive mi hermana con su hijo, que a la vez es mi sobrino, y a quien también quiero bastante... Un chico verdaderamente encantador: fino, agradable, educado y amante del trabajo. Para él sólo existe su fábrica y su mamá. Su mamá y sus chocolatinas... Y ésta es toda su vida.

DOÑA MATILDE. Y ahora hemos venido a pasar una temporada aquí, a casa de mi hermana Paula, para ver si el chico encuentra novia en Madrid y por fin se casa. Porque allí, en aquella provincia, es decir, en el pueblo donde tenemos la fábrica y donde vivimos, figúrense qué clase de palurdas se pueden encontrar... Chicas anticuadas en todos los aspectos, tanto física como moralmente...

DOÑA PAULA. Y ya conocen ustedes nuestras ideas avanzadas. Nada de muchachas anticuadas y llenas de prejuicios, como éramos nosotras... ¡Qué horror de juventud la nuestra! Porque si yo no he salido a la calle hace sesenta años, desde que me quedé viuda, no ha sido por capricho, sino porque me daba vergüenza que me vieran todos los vecinos que estaban asomados a los balcones para criticar a las que salían... *LA SOCIEDAD — critica*

DOÑA MATILDE. ¡Qué época aquella en que todo lo criticaban! ¡El sombrero, el corsé, los guantes, los zapatos!

DOÑA PAULA. Había un sastre en un mirador, siempre observando con un gesto soez, que me llenaba de rubor... Y después empezaron los tranvías y los automóviles, y ya me dio miedo que me atropellaran, y no salí. Y aquí lo paso tan ricamente, escuchando música de baile y escribiendo a los actores de cine de Norteamérica para que me manden autógrafos.

DOÑA MATILDE. Por eso, para mi hijo, yo quiero una muchacha moderna, desenvuelta, alegre y simpática que llene de alegría la fabrica de chocolatinas. *una chica ideal*

DOÑA PAULA. Una muchacha de las de ahora. Empleada, mecanógrafa, enfermera, hija de familia, no importa lo que sea... Rica o pobre, es igual...

DOÑA MATILDE. El caso es que pertenezca a esta generación maravillosa... Que tenga libertad e iniciativas...

DOÑA PAULA. Porque mi sobrino es tan triste, tan apocado, tan poquita cosa... Un provinciano, ésa es la palabra...

DOÑA MATILDE. Es como un niño, figúrense. Siempre sin separarse de mis faldas...

DOÑA PAULA. Pero por lo visto ya ha encontrado la pareja ideal.

DOÑA MATILDE. Y él solito, no crean...

DOÑA PAULA. Como yo no tengo relaciones sociales, porque las viejas me chinchan y las jóvenes se aburren conmigo, no he podido presentarle a nadie. Pero el niño se ha ambientado en seguida y parece ser que ha conocido a una señorita monísima, muy moderna y muy fina, y a lo mejor la trae esta tarde para presentárnosla.

Paula tiene la mujer perfecta para el hijo —

Doña Matilde. ¡Y tenemos tanta ilusión por conocerla!...

Doña Paula. Siempre hemos odiado nuestra época y hemos admirado esta generación nueva, fuerte, sana, valiente y llena de bondad...

Doña Matilde. ¡Qué hombres los de antes, que se morían en seguida!

Doña Paula. A mí, el mío me duró solamente un día y medio. Nos casamos por la mañana, pasamos juntos la noche de bodas y a la mañana siguiente se murió.

Doña Matilde. Y es que se ponían viejos en seguida. Yo tuve la suerte de que el mío me durase un mes y cinco días, a base de fomentos. Pero ya te acordarás, Paula. Tenía veintidós años y llevaba una barba larga, ya un poco canosa... Y tosía como un condenado.

Doña Paula. Según dice mi médico, ahora también se mueren antes que las mujeres, pero no en semejante proporción.

Doña Matilde. Yo creo que lo que les sucede es que hacer el amor les sienta mal.

Doña Paula. Y los pobres se obstinan en hacerlo, creyendo que con ello nos complacen... ¡Pobrecillos!

Doña Matilde. ¡Por presumir de hombres y contarlo luego en el Casino, son capaces hasta de morir!

Doña Paula. En efecto, en efecto... (Y de repente doña Paula se dirige al matrimonio, que sigue en el mismo sitio, imperturbable, y les dice:) ¡Ah! ¿Pero se van ustedes ya? ¡Huy! ¡Pero qué lástima!

Doña Matilde. Que pronto, ¿verdad?

Doña Paula. (Se levanta.) Nada, nada, si tienen ustedes prisa no queremos detenerles más.

Doña Matilde. (Se levanta.) Claro que sí... A lo mejor se les hace tarde.

(Y el matrimonio entonces no tiene más remedio y también se levanta.)

Doña Paula. Pues les agradecemos mucho su visita.
Doña Matilde. Hemos tenido un verdadero placer.
Doña Paula. (Ha sacado de un bolsillo un billete de cin-

cuenta pesetas, que le entrega a doña Vicenta.) ¡Ah! Y aquí
tienen las cincuenta pesetas.

DOÑA VICENTA. Muchísimas gracias, doña Paula.

DOÑA PAULA. No faltaba más.

DON FERNANDO. Buenas tardes, señores…

DOÑA MATILDE. Buenas tardes.

*(Y doña Paula les ha ido acompañando hasta la puer-
ta de salida, por donde hacen mutis doña Vicenta y don
Fernando. Cierra la puerta y vuelve con su hermana.)*

DOÑA PAULA. Muy simpáticos, ¿verdad?

DOÑA MATILDE. Mucho. Muy amables.

DOÑA PAULA. Una gente muy atenta

DOÑA MATILDE. ¿Y quiénes son?

DOÑA PAULA. Ah, no lo sé… Yo les pago cincuenta
pesetas para que vengan de visita dos veces por semana.

DOÑA MATILDE. No está mal el precio. Es económico.

DOÑA PAULA. A veinticinco pesetas la media hora…
Pero te da mejor resultado que las visitas de verdad, que
no hay quien las aguante y que en seguida te dicen que les
duele una cosa o la otra… Éstos vienen, se quedan callados,
y durante media hora puedes contarles todos tus problemas,
sin que ellos se permitan contarte los suyos, que no te importan un pimiento…

DOÑA MATILDE. Viviendo sola, como vives, es lo mejor que puedes hacer…

DOÑA PAULA. Y el día de mi santo, les pago una tarifa
doble; pero tienen la obligación de traerme una tarta y venir
acompañados de un niño vestido de marinero, que siempre
hace mono… ¿No crees? *(Doña Matilde, que se ha sentado
en una silla junto a la mesa, se queda callada y pensativa.)*
¿Por qué te callas? ¿En qué piensas?…

DOÑA MATILDE. No. No pensaba en nada. Pero yo
creo que debíamos ir preparando las cosas…

DOÑA PAULA. ¿Qué cosas?

DOÑA MATILDE. El niño no tardará en venir, ¡y si a lo
mejor viene con ella!

DOÑA PAULA. ¡Es verdad! ¡Mira que si a lo mejor
viene con ella! ¿Qué tenemos que hacer?

DOÑA MATILDE. *(Haciendo lo que dice.)* Ante todo, subir un poco las persianas del mirador para que entre más luz. Esto está un poco oscuro, y si ella viene y ve todo tan triste...

DOÑA PAULA. Me parece muy bien... Son cerca de las siete y el calor va pasando ya...

DOÑA MATILDE. *(Que está junto a la cotorra.)* ¿Y la cotorra, Paula?

DOÑA PAULA. ¿Qué hay de la cotorra?

DOÑA MATILDE. ¡Si a ella no le gustase!

DOÑA PAULA. ¿Por qué no iba a gustarle? ¡Es verde y tiene plumas! Y a mí me acompaña.

DOÑA MATILDE. Pero una cotorra da vejez a una casa. Y las chicas modernas prefieren los perros, que son alegres y dan saltos.

DOÑA PAULA. *(Que ha ido, conmovida, junto a su cotorra.)* Todo te lo consiento menos que me quites la cotorra... Eso no, Matilde.

DOÑA MATILDE. Bueno. Como tú quieras... ¿Mandaste a la asistenta que subiese ginebra?

DOÑA PAULA. Sí, ya está todo preparado en la cocina para hacer el *gin-fizz.*

DOÑA MATILDE. ¿Y los ceniceros? ¿Los buscaste?

DOÑA PAULA. *(Saca del cajón de un mueble unos ceniceros.)* Sí. Aquí los tengo para repartirlos por las mesas.

DOÑA MATILDE. Pues ya podemos ir haciéndolo, porque el niño me ha dicho que ella fuma muchísimo...

DOÑA PAULA. *(Con un tono triste y apenado.)* ¿Y nadar? ¡También sabrá nadar!

DOÑA MATILDE. *(Con el mismo tono.)* No hay que pensar en eso, Paula. Y, además, posiblemente sepa...

(Y entre las dos reparten los ceniceros por la mesa.)

DOÑA PAULA. Qué maravilla, ¿verdad? ¡Mira que si por fin viniese hoy!

DOÑA MATILDE. ¡Vendrá, vendrá! Estoy segura de que vendrá... El niño es tímido, desde luego, y ya sabes que las muchachas de hoy se burlan un poco de los chicos tímidos...

Pero ya ha hablado con ella varias veces, y esto significa haber ganado la batalla.

DOÑA PAULA. *(Con tristeza.)* ¡Y pensar que a mí esta batalla me da un poco de miedo!

DOÑA MATILDE. Vamos, mujer... No debes preocuparte. Lo que pasó una vez no tiene por qué volver a repetirse...

> *(Estas frases finales las han dicho sentadas junto a la mesa redonda, de espaldas a la puerta del foro. Y se ha producido un silencio, durante el cual, sin hacer ruido, ha entrado por la puerta de la escalera Marcelino, que tiene llavín. Marcelino puede tener treinta y cinco o cuarenta años. Viste pulcramente, pero el traje, de confección, no le sienta demasiado bien. Se queda mirando a las viejas, desde la puerta de la habitación, y dice:)*

MARCELINO. ¡Mamá!

el hijo 35 años

(Las viejas se vuelven hacia él que, a su vez, avanza.)

DOÑA MATILDE. ¡Hijo mío!
DOÑA PAULA. ¡Marcelino!
MARCELINO. ¡Tía!

(Y se besan.)

DOÑA MATILDE. Pero ¿vienes solo? ¿Qué te pasa?
DOÑA PAULA. ¿Estás malo?
MARCELINO. No. No me pasa nada... Estoy perfectamente bien.
DOÑA PAULA. ¿Y la chica, entonces?
MARCELINO. Vendrá ahora. En seguida. *la chica vendrá*
DOÑA MATILDE. ¿Es posible?
MARCELINO. Sí, claro.
DOÑA PAULA. ¿Y por qué no ha venido contigo?
MARCELINO. Ha ido a acompañar a una amiga a no sé qué sitio, muy cerca de aquí, y ahora mismo vendrá.
DOÑA MATILDE. ¿Ella sola o con su amiga?
MARCELINO. No sé. Me ha parecido mal preguntárselo. El caso es que va a venir y que estoy muy contento.

DOÑA PAULA.   ¿Le has dado bien las señas de la casa?

MARCELINO.   Sí. Claro que sí... Se llama Maribel, ¿sabéis?

DOÑA MATILDE.   Es muy bonito nombre... ¡Maribel!

MARCELINO.   Y ella es tan simpática...

DOÑA MATILDE.   Dime, hijo mío... ¿Y ya le has dicho que estás enamorado? ¿Que quieres hacerla tu mujer?

MARCELINO.   No me he atrevido, la verdad... Ya conoces mi manera de ser... Mi torpeza para estas cuestiones... Le he hablado de muchas cosas, qué sé yo... De lo mismo que hemos hablado los demás días que nos hemos visto... De vaguedades, de tonterías, de nada en concreto... Y es que el ruido de ese bar donde nos encontramos me descompone y me ataca los nervios... Todo el mundo habla y habla, y chilla, y pide cosas... Y yo no estoy acostumbrado a estos ambientes, que me aturden...

DOÑA PAULA.   ¿Y le has dicho que le vas a presentar a tu familia?

MARCELINO.   He preferido no decirle nada para que no se vaya a poner nerviosa o a vestirse de tiros largos. Me gusta como va: sencilla, moderna, elegante. Y es alegre, ¿sabéis? Se ríe por todo, se divierte por todo... (Suplicante.) ¡Tenéis que ayudarme a que sea mi mujer! ¡A que se venga a vivir con nosotros!

DOÑA MATILDE.   (Conmovida.) Sí, hijo mío... Claro que te ayudaremos...

DOÑA PAULA.   (Igual.) ¿Qué no vamos a hacer por ti, mi querido?

MARCELINO.   A veces me da tanta vergüenza y tanta rabia el ser como soy...

DOÑA MATILDE.   Pero no debes preocuparte por eso. Hay muchos otros como tú.

DOÑA PAULA.   Ahora, con ella, ya todo te parecerá distinto... Y estarás más alegre.

DOÑA MATILDE.   Y te irás acostumbrando a salir y a entrar... Y a desenvolverte igual que los demás muchachos...

(Suena el timbre de la puerta.)

MARCELINO.   Han llamado. Debe de ser ella.

(Y los tres se miran emocionados. Hablan en voz baja.)

Doña Matilde.   Recíbela tú, mientras que Paula y yo nos arreglamos un poquito.

Doña Paula.   Y así le vas hablando de nosotras.

Marcelino.   Sí, sí. Es mejor.

Doña Paula.   Vamos, Matilde.

Doña Matilde.   Sí, vamos, vamos.

(Y silenciosamente, las dos hermanas hacen mutis por el pasillo de la puerta del foro. El timbre suena nuevamente. Marcelino se arregla un poco la corbata, nervioso, y abre la puerta de la escalera. Entra Maribel. Es joven, pero sin una edad determinada. Todo su aspecto, sin lugar a dudas, sin la más mínima discusión, es el de esas muchachas que hacen «la carrera» sentadas en las barras de los bares americanos. Es una profesional, y no trata de disimularlo para no tener que perder el tiempo. Vestido llamativo. Zapatos llamativos. Peinado llamativo. Ni simpática, ni antipática. Natural. Va a lo suyo.)

Maribel.   Hola.

Marcelino.   Hola, Maribel... Pasa, pasa por aquí.

Maribel.   ¿Qué hacías? He llamado dos veces.

Marcelino.   No oí la primera... Estaba asomado al mirador.

Maribel.   *(Ha pasado. Mira todo extrañada.)* ¡Anda! ¡Qué piso!

Marcelino.   ¿Te gusta?

Maribel.   Bueno, tú... ¿Pero qué es esto? ¿Un museo o qué?

Marcelino.   No. No es ningún museo... Es mi casa... Bueno, mejor dicho... Yo vivo aquí ahora.

Maribel.   Pues hijo... Podíamos haber ido a cualquier otro lado...

Marcelino.   ¿Y a qué otro lado podríamos haber ido?

Maribel.   Bueno... ¡pues que no conozco yo sitios mejores! Incluso en mi pensión me dejan recibir a algún amigo... En plan discreto, ¿eh? No vayas a pensar... Y mi pensión es mucho más alegre... ¡Menuda habitación tengo yo ahora que han puesto cortinas de cretona en la ventana!... De ésas de flores, ¿sabes? Y a base de limpio, no creas... Yo pensé que vivías en un departamento... ¡Pero qué burrada! ¡Qué de chismarracos!... ¡Jolín!¡Pero si hay hasta un loro!

MARCELINO. No es un loro. Es una cotorra. Se llama *Susana.*

MARIBEL. ¿Susana? ¿No te digo? Oye, tú... A mí esta casa no me gusta nada. De verdad, guapo...

MARCELINO. ¿Pero por qué?

MARIBEL. No sé. Que no me encuentro a gusto... Que me da un poco de miedo tanto cuadro y tanto pajarraco. *(Mira uno de los cuadros que hay en la pared.)* ¿Quién es este señor de los bigotes?

MARCELINO. Mi abuelo materno.

MARIBEL. ¡Vaya una facha, hijo! *(Mira un segundo cuadro.)* ¿Y ése de ahí?

MARCELINO. Otro antepasado.

MARIBEL. ¡Pues vaya un plan! *(Y en su recorrido por la habitación se fija en el tocadiscos.)* Menos mal que tienes tocadiscos.

MARCELINO. ¿Te gusta la música?

MARIBEL. Cuando voy de excursión. *(Coge una caracola que hay sobre cualquier mueble.)* ¡Pero si hay hasta caracolas! ¡Es que no falta ni un detalle! *(Se la lleva al oído.)* ¿Se escucha con esto el ruido del mar?

MARCELINO. Sí, creo que sí.

MARIBEL. Aquí no se oye nada. Esto está descompuesto... *(Y la deja en su sitio.)* Dame un pitillo.

> *(Marcelino saca del bolsillo un paquete y le ofrece un cigarrillo a Maribel.)*

MARCELINO. Toma.

MARIBEL. Gracias. ¿Y tú?

MARCELINO. No fumo. Ya lo sabes.

MARIBEL. ¿Por qué llevas tabaco entonces?

MARCELINO. Para dártelo a ti.

MARIBEL. Eres un chico fino. *(Se sienta. Fuma. Se queda mirando a Marcelino, sonriente.)* Bueno, ¿y qué dices?

MARCELINO. Ya ves.

MARIBEL. Explícame una cosa.

MARCELINO. ¿Qué?

MARIBEL. ¿Cómo es que por fin te has decidido?

MARCELINO. ¿Decidirme a qué?

MARIBEL. A esto. A traerme. Desde el primer día que caíste por el bar, yo noté que te había gustado. ¿Es verdad o no?

MARCELINO. Ya lo sabes que sí.

MARIBEL. Pero como sólo te acercabas para hablar de simplezas y nunca concretabas... Y yo no soy como esas otras que en seguida avasallan... ¡Hala! ¡A lo bruto! Yo no. Yo seré todo lo que quieras, pero sé quedarme en mi sitio. Y eso que me caes bien. Pareces un buen chico... *(El sonríe, sin hablar.)* Hablas poco, ¿eh?

MARCELINO. Te escucho a ti, Y, además, es que soy un poco tímido. Ya lo habrás observado.

MARIBEL. Sí, eso sí que se nota... Bueno, en fin... *(Se levanta.)* ¿Y la alcoba?

MARCELINO. Los dormitorios están al final del pasillo. Esta casa es muy grande.

MARIBEL. ¿Y cómo vives aquí solo? A mí todo esto me da la sensación de una película de cine en relieve... ¿Tú no has visto ninguna? De esas que te dan unas gafas al entrar, con un ojo azul y otro encarnado, o no sé qué líos. Mira. Me acuerdo de una que vi, y me moría de risa... Era de esas de miedo, ¿sabes?... Y es que yo no puedo remediarlo... A mí lo terrorífico me da una risa... *(Y se ríe. El también. Dejan de reírse. Hay una pausa.)* Bueno... ¿qué hacemos?

MARCELINO. Lo que quieras.

MARIBEL. *(Insinuante.)* Enséñame tu casa, ¿no?

MARCELINO. Ésta no es mi casa. Ésta es la casa de mi tía.

MARIBEL. Mira qué bien... Y aprovechas que está de veraneo para traerte aquí chicas...

MARCELINO. No, no está de veraneo... Ella no sale nunca, ni siquiera a la calle. Está aquí, con mi madre.

MARIBEL. ¡Qué bromista, hombre!

MARCELINO. No es ninguna broma, Maribel... Estaban aquí, en esta habitación, cuando tú has llamado y han ido a arreglarse un poco y ahora saldrán y te las presentaré.

MARIBEL. *(Inquieta, se separa de su lado.)* ¡Oye, tú!
¡Guasas no!

MARCELINO. ¿Por qué van a ser guasas? No te lo he dicho
antes, por si te violentaba conocerlas... O por si te molestaba este plan de visita...

MARIBEL. *(Seriamente enfadada.)* Bueno... ¿Pero tú eres
tonto o qué te pasa?

MARCELINO. ¿Por qué voy a ser tonto? ¿No es natural
que te presente a mi familia?

(Maribel deja el pitillo en un cenicero y coge el bolso.)

MARIBEL. ¡Me marcho! ¡Abre la puerta!

(Marcelino se acerca a ella, intentando detenerla.)

MARCELINO. ¡No debes hacer eso, Maribel!
MARIBEL. ¿Quieres dejarme en paz y no tocarme?

(Y en este momento aparece doña Matilde por el foro.)

DOÑA MATILDE. ¿Pero qué le sucede a usted, hijita?

*(Maribel se queda quieta, sin saber qué hacer. Marce-
lino la presenta.)*

MARCELINO. Es mi madre, Maribel.
DOÑA MATILDE. Muchísimo gusto en saludarla, señorita... Es para nosotros un gran placer recibirla en esta casa.
Mi hijo me ha hablado tantísimo de usted, que no sabe
los deseos que tenía de conocerla personalmente... Pero
siéntese, siéntese...

*(Maribel mira a uno y a otro sin saber qué partido
tomar. Pero las buenas maneras y el aspecto distinguido
de doña Matilde no la permiten dar el escándalo que ella
deseara.)*

MARIBEL. Es que tengo un poco de prisa, la verdad.

MARCELINO.   Vamos, Maribel… No debes ser así… Mamá tenía muchos deseos de charlar contigo.

DOÑA MATILDE.   ¡Pues claro que sí! ¡Tenemos que hablar de tantas cosas!

MARIBEL.   *(A la defensiva.)* ¿De qué cosas, oiga?

DOÑA MATILDE.   Pues ¡de qué va a ser! De sus amores con mi hijo…

MARIBEL.   Yo no tengo amores con su hijo, señora… Y si él me ha traído aquí…

DOÑA MATILDE.   Ya sé que, de momento, sólo ha habido entre ustedes un ligero flirteo…, ¿no es así? Pero todo llegará, andando el tiempo… Y yo estoy segura de que van ustedes a ser muy felices… Y es más. Quiero decirle una cosa, que seguramente le halagará… Mi hijo me había hecho muchos elogios de usted. Pero todos son pocos, ante la realidad. Es usted una criatura realmente encantadora… Pero siéntese, siéntese…

(Maribel vuelve a mirar a los dos, que están sonrientes y felices. Y, tímidamente, se sienta, estirándose las faldas para que no se le vean demasiado las piernas.)

MARIBEL.   Con su permiso.

(Y de nuevo se levanta cuando escucha la voz de doña Paula, que ha salido por la puerta del foro.)

DOÑA PAULA.   ¡Ay, qué bien! ¡Si por fin ha venido! ¡Si por fin ha venido!

MARCELINO.   Pasa, tía. Mira, Maribel. Te voy a presentar a mi tía Paula, la hermana de mi madre… Ella es la dueña de esta casa, donde mamá y yo estamos pasando unos días.

DOÑA PAULA.   ¡Encantada! ¡Encantada! ¡Pero qué mona! ¡Pero si es una chica preciosa! Muchísimo gusto en conocerla, hija mía… Muchísimo gusto…

MARIBEL.   Lo mismo le digo.

DOÑA MATILDE.   Pero siéntese, siéntese.

MARIBEL.   Con su permiso.

(Y vuelve a sentarse, acobardada. Lo más recatadamente posible.)

DOÑA PAULA. ¡Y qué moderna va vestida! Pero ¿te has fijado qué zapatos, Matilde? Son elegantísimos.

DOÑA MATILDE. Claro que me he fijado... Pues ¿y la blusita? ¿Y el peinado?... ¡Y todo! Una verdadera monería.

MARCELINO. Ya os dije yo que os iba a gustar mucho...

DOÑA MATILDE. ¿Cómo mucho? ¡Una barbaridad! ¡Es una criatura encantadora!

DOÑA PAULA. Ya sabemos que ha congeniado usted con mi sobrino, y no sabe lo que lo celebramos... Y ahora, después de tener el gusto de conocerla, mucho más... Parece que han nacido el uno para el otro. ¿verdad, Matilde?

DOÑA MATILDE. Claro que sí, Paula.

DOÑA PAULA. Y nosotras, ¿qué le parecemos?

MARIBEL. Pues qué sé yo... Así, al pronto...

MARCELINO. La encontraréis un poco cohibida, pero es que se ha llevado una sorpresa cuando le he dicho que os iba a presentar... Creyó, incluso, que se trataba de una broma.

MARIBEL. Es que una no está acostumbrada a estas cosas, la verdad... Y vamos...

DOÑA PAULA. Las chicas modernas ya se sabe... Se puede decir que viven un poco al margen del hogar y, por consiguiente, no son muy propicias a las reuniones familiares.

DOÑA MATILDE. Fiestas, cócteles, espectáculos... ¿Es cierto, o no?

MARIBEL. Sí. Algo de eso hay.

DOÑA MATILDE. Y hace usted muy bien, hijita mía. Si nosotras, en nuestra época, hubiéramos podido disfrutar de esta libertad que ustedes disfrutan...

DOÑA PAULA. ¡Pero los prejuicios y la estrecha moralidad, con todas sus monsergas, nos impedían toda clase de iniciativas!

DOÑA MATILDE. A propósito. ¿Quiere usted que pongamos un poco de música? Tenemos música moderna.

MARIBEL. No, gracias... Me voy a ir en seguida.

MARCELINO. Pero por Dios, Maribel. Si es tempranísimo.

MARIBEL. (Con rabia.) Tú te callas, ¿quieres?

MARCELINO. Perdona.

DOÑA PAULA. ¿Quiere usted probar una chocolatina?

*(Y se levanta para ir a buscar una caja de chocola-
tinas, que después ofrece, abierta, a Maribel.)*

DOÑA MATILDE.   Son de nuestra fábrica. Supongo que
mi hijo le habrá dicho que poseemos una fábrica de chocolatinas.

MARIBEL.   No, no me ha dicho nada. ¡Qué va a decir
éste!

DOÑA MATILDE.   ¡Pero cómo eres, hijo!

MARCELINO.   Me ha parecido mejor que se lo dijerais
vosotras...

DOÑA MATILDE.   Tiene usted que disculparle, pero ya
se habrá dado cuenta de que es un poco vergonzoso y, sobre
todo, tiene muy poca costumbre de tratar con señoritas
modernas, así como es usted.

MARIBEL.   Sí, eso ya se nota...

(Y ya no puede contener la risa. Se ríe a carcajadas.)

DOÑA PAULA.   ¿De qué se ríe usted?

MARIBEL.   *(Y se contiene, avergonzada.)* No, de nada.
Ustedes perdonen.

DOÑA MATILDE.   No tenemos nada que perdonar, tiene usted una risa simpatiquísima.

DOÑA PAULA.   ¡Y qué alegre! ¡Es un cascabel!

MARCELINO.   Ya os lo había dicho.

MARIBEL. *(Siempre guardándole rencor a Marcelino.)* ¿Tú
quieres callarte?

MARCELINO.   Discúlpame.

DOÑA MATILDE.   Como el pobre no sale apenas de la
fábrica, de la que está al frente, y viene tan pocas veces a
la capital, es un poco inocente.

MARIBEL. *(Empieza a darse cuenta.)* Ah, claro, ya...

DOÑA PAULA.   Y es que la fábrica la tienen en un pueblecito en donde apenas se puede hablar con nadie. Gentes
rústicas, ¿sabe?... Aunque, en el fondo, buenas, según dicen...

DOÑA MATILDE.   Ahora, eso sí... Es un pueblecito precioso, rodeado de montañas... Y muy cerca hay un lago...
¡Un gran lago, tranquilo...!

(Al hablar del lago todos quedan un poco tristes. Maribel los observa. Y doña Paula, para romper el silencio que se produce, vuelve a ofrecerle la caja con las chocolatinas.)

Doña Paula. ¿Pero por qué no prueba una?

Maribel. *(Se decide.)* Bueno. Gracias.

Doña Paula. ¿Le gustan?

Maribel. Sí. Están muy ricas... *(Y como todos la miran sonrientes y naturales, va recobrando la tranquilidad.)* Claro que a mí todo lo que sea chocolate me gusta muchísimo. Y es que no lo puedo remediar. Además, como tengo la ventaja de que no engordo coma lo que coma, pues me pongo verde de comer dulces.

Doña Paula. Así le sienta de bien la ropa. ¿Quién le ha hecho ese vestido?

Maribel. Remedios. La que me cose siempre a mí. Una costurera que trabaja muy bien. Y, además, económica. Claro que yo le doy las ideas, porque para esto de la ropa soy muy personal. Y no vayan a creer que copio de esos figurines de las revistas. Ni hablar del asunto. Se me ocurren a mí, así de pronto, y voy a la modista y se lo explico. Y entonces ella, que ya me conoce... *(Hablando de la ropa se ha olvidado de la situación y ha recobrado su aplomo y su personalidad. Y ahora se da cuenta y mira un poco avergonzada a todos.)* Bueno, ustedes perdonen... Pero yo me tengo que marchar. No me puedo quedar aquí tanto tiempo.

Doña Paula. ¿Pero por qué? Si todavía es muy pronto...

Marcelino. No seas impaciente, Maribel.

Doña Matilde. ¿La espera la familia, acaso?

Maribel. ¿La familia? No. Yo no tengo familia.

Doña Paula. ¡Pobrecita! ¿Es posible?

Maribel. Bueno, tenerla sí la tengo. Pero es lo mismo que si no la tuviese. Cada uno anda por su lado y no nos ocupamos los unos de los otros.

Doña Paula. ¿No te digo? Hasta en esto es una muchacha de su tiempo. Cada uno viviendo su vida, como debe ser, sin estarse dando la lata mutuamente. Justo lo que que siempre hemos envidiado nosotras.

DOÑA MATILDE. Y lo que andábamos buscando.

MARIBEL. *(Y un poco cargada.)* Bueno, ¿pero ustedes qué es lo que buscaban?

MARCELINO. Cállate, Maribel. Déjalas hablar a ellas...

MARIBEL. ¡Pero es que yo quiero saber a qué viene toda esta historia!

DOÑA MATILDE. ¡Qué carácter tan vivo tiene!

DOÑA PAULA. ¡Y cuando se enfurruña se pone más salada!...

MARCELINO. ¿Habéis visto cómo frunce las cejas?

DOÑA PAULA. Claro que sí... Y le sienta divinamente.

DOÑA MATILDE. Y dígame, ¿vive usted sola, entonces?

MARIBEL. Sí. ¿Qué pasa con eso?

DOÑA MATILDE. Nada... ¡Qué va a pasar! Lo encontramos muy lógico.

DOÑA PAULA. Es exactamente igual que hacen las chicas en Francia y Alemania, que se independizan en seguida... Y así se van acostumbrando a los avatares de la vida.

DOÑA MATILDE. Vivirá usted en alguna residencia de señoritas, ¿no?

MARIBEL. Yo vivo de pensión.

DOÑA MATILDE. ¡Huy! ¡Pobrecita!

MARIBEL. ¿Por qué pobrecita? Pues menuda habitación tengo.

MARCELINO. Me ha dicho antes que en su cuarto tiene cortinas de cretona...

MARIBEL. Y la colcha también, haciendo juego.

DOÑA PAULA. ¡Ah! Siendo así, ya es distinto.

DOÑA MATILDE. ¿Y qué estudia? ¿Idiomas?

MARIBEL. No. De eso, nada.

DOÑA MATILDE. ¿Trabaja usted?

MARIBEL. Pues le diré... Por las tardes busco trabajo.

DOÑA MATILDE. ¿Y no lo encuentra?

> *(Maribel ya no sabe qué contestar. Está a punto de perder la paciencia. Y se vuelve a Marcelino.)*

MARIBEL. Oye, tú, ya está bien. Yo me voy a marchar.

MARCELINO. Por favor, espera, Maribel... *(Secamente*

a su madre.) Es que le haces demasiadas preguntas, mamá, y esto la está poniendo nerviosa.

Doña Paula.   Indudablemente, Matilde, no sé a qué viene someterla a este interrogatorio…

Doña Matilde.   Debe perdonarme, señorita… Pero quería enterarme de su vida privada antes de ponernos a hablar de sus relaciones con Marcelino.

Maribel.   ¿Quién es Marcelino?

Doña Matilde.   Mi hijo… ¿Es que ni siquiera le habías dicho cómo te llamas?

Marcelino.   *(A Maribel.)* Claro. Si te lo dije ayer.

Maribel.   Yo creí que eso de Marcelino era una broma.

Doña Matilde.   Si no la agrada Marcelino, puede llamarle Marcel, como le llamaba su padrino… Y casi resulta más bonito y parece un nombre francés.

Maribel.   Yo he tenido un amigo francés. Pero se llamaba Luis.

Doña Paula.   ¿No sería Luis XV?

Maribel. *(Se ríe con todas sus ganas.)* ¡Mira, esto sí que ha estado bien! ¡Tiene gracia tu tía! ¡Mira que preguntar si era el Luis ese! De verdad, hombre… Que me cae a mí simpática esta señora. *(Y se da cuenta de que su risa es excesiva y desproporcionada, cuando todos la miran extrañados.)* Bueno. Ustedes perdonen… Me voy a marchar ya. *(Y se levanta para irse.)* Con permiso.

Marcelino.   ¿Otra vez, Maribel?

Maribel.   ¿Pero qué pinto yo aquí? ¿Me quieres explicar?

Doña Matilde. *(Entusiasmada.)* ¡Quédese de pie! ¡Quédese de pie! Y tú ponte junto a ella, Marcelino. *(Marcelino se aproxima a ella y quedan de pie, uno al lado del otro. A doña Paula.)* ¿Pero no ves la buena pareja que hacen? Delgados los dos… Altos los dos…

Doña Paula.   Una pareja estupenda, de verdad…

Doña Matilde.   Parece que ya los veo entrar en la iglesia cogidos del brazo…

Maribel.   ¿En qué iglesia?

Doña Matilde.   Mire usted, hija mía. Nosotros veríamos con muy buenos ojos que se casara usted con Marcelino

Maribel.   ¿Que yo me casara con éste?

Doña Paula.   Siéntese, hágame el favor...
Maribel   Con permiso.

(Y vuelve a sentarse, sin comprender nada, pero decidida a comprenderlo.)

Doña Matilde.   Mi hijo ha venido a Madrid, dispuesto a encontrar una novia para casarse, y formar un hogar. Una chica fina, educada y moderna, que le alegre un poco la vida, ya que al lado de un vejestorio como yo, el pobre se aburre bastante. Y se ha enamorado de usted, que reúne todas esas condiciones. Y aunque, según parece, su situación económica no es demasiado boyante, eso no nos preocupa lo más mínimo, ya que, afortunadamente, mi hijo dispone de unos bienes bien saneados.

Doña Paula.   Comprendemos perfectamente que se sienta extrañada el ser nosotras las que tratemos de este asunto, en lugar de ser él quien se haya declarado, como es corriente entre muchachos y muchachas.

Doña Matilde.   Pero él es como un niño, ¿sabe? Vergonzoso, apocado, sin iniciativa...

Marcelino.   *(Molesto.)* ¡No tanto mamá! Maribel va a creerse que soy un tonto o un inútil...

Doña Matilde.   Ni lo uno ni lo otro, pero tu cortedad no podemos negarla, porque es evidente.

Doña Paula.   No olvides que has estado siempre muy mimado y muy consentido y que desde niño estás acostumbrado a que todas las cosas te las solucione tu madre.

Doña Matilde.   Por eso he querido hablar yo con usted, hija mía. Por eso quise que mi hijo la trajera a nuestra casa.

Maribel.   Bueno, pero señora...

Doña Matilde.   No me llames señora. Llámame mamá.

Doña Paula.   Y a mí, llámame tía. Tía Paula. Y dame un beso.

(Y se acerca a ella, y le da un beso.)

Doña Matilde.   Y a mí otro, ¿quieres?

(Y también se acerca a ella para besarla. Las dos viejas, después, se abrazan. Marcelino va junto a Maribel, que no sabe qué decir.)

MARCELINO. ¿Estás emocionada, Maribel?

MARIBEL. *(Tímidamente.)* Me gustaría hablar contigo a solas.

MARCELINO. ¿Habéis oído, mamá?

DOÑA MATILDE. Pues naturalmente.

DOÑA PAULA. No faltaría más. Estáis en vuestra casa.

DOÑA MATILDE. Además, entre unos prometidos que van a casarse próximamente...

(Y cuando van hacia la puerta del foro suena el timbre de la puerta.)

DOÑA PAULA. ¡Huy! ¡Han llamado! ¿Quién será?

(Marcelino se separa de Maribel, nervioso, y un poco irritado.)

MARCELINO. ¡Eso digo yo! ¿Quién tiene que venir ahora? ¿Por qué llaman?

DOÑA PAULA. Pues no sé. Pero tampoco tiene tanta importancia que hayan llamado a la puerta.

MARCELINO. Me molesta que nos interrumpan en este preciso momento, cuando estábamos hablando con Maribel.

MARIBEL. *(Que está un poco sorprendida por el tono de la conversación.)* Si quieren ustedes yo me marcho...

DOÑA MATILDE. Por favor, hija mía, nada de eso.

MARCELINO. Es absurdo, tía Paula, que sólo tengas una asistenta por las mañanas, en lugar de tener una muchacha todo el día.

DOÑA PAULA. Ya sabes que me gusta mucho vivir sola.

MARCELINO. Para tener que abrir la puerta a todo el mundo, ¿no es eso?

DOÑA PAULA. Bueno... ¿Abro o no?

MARCELINO. Sí, claro, abre.

(Maribel ha escuchado todo sorprendida y acobardada y con muchos deseos de marcharse. Doña Paula va a la puerta del foro y la abre. Entra Luis Roldán. Unos treinta y cinco años. Aire juvenil y simpático. Alegre. Optimista.)

DOÑA PAULA. ¡Ah! ¡Pero si es el doctor! ¡Pase, pase usted!...

DON LUIS. ¡Mi querida doña Paula! Buenas noches, señores... Beso a usted la mano, doña Matilde... ¿Qué tal, don Marcelino?

MARCELINO. Encantado, doctor.

DOÑA PAULA. Ya no me acordaba que tenía usted que venir a ponerme la inyección.

DOÑA MATILDE. Y nos ha sorprendido tanto que llamasen a estas horas...

DON LUIS. Realmente hoy me he retrasado un poquito.

DOÑA PAULA. Mira, Maribel. Te voy a presentar a nuestro médico de cabecera, el doctor don Luis Roldán. Y aquí la señorita Maribel, casi, casi, la prometida de mi sobrino.

DON LUIS. ¡Ah! ¡Muchísimo gusto! *(A Marcelino.)* No ha podido usted encontrar una novia más seductora, don Marcelino. *(A Maribel, después de mirarla detenidamente.)* ¿Es usted española o extranjera?

MARIBEL. *(Acobardada por esta mirada.)* De aquí.

DON LUIS. Lo decía porque tiene usted un cierto aire exótico que la llena de encanto.

DOÑA MATILDE. ¿Verdad que sí, doctor?

DON LUIS. Les doy mi más cordial enhorabuena... *(A Marcelino.)* Ya le dije que en Madrid encontraría usted una buena novia para casarse. Y no ha podido usted ser más afortunado.

DOÑA PAULA. *(A Maribel.)* El doctor Roldán es un hombre amable y tiene la gentileza de venir a visitarme para vigilar un poco mis achaques.

DON LUIS. ¡Nada de achaques, doña Paula! *(A Maribel.)* Más que profesionalmente, pudiéramos decir que vengo en visita de cortesía, pues doña Paula se encuentra en perfecto estado de salud.

DOÑA MATILDE. Y es que, gracias a Dios, en casa todos hemos sido muy robustos hasta que nos hemos muerto.

DON LUIS. Siempre tan ocurrente, doña Matilde...

DOÑA PAULA. Y ahora, cada dos días, viene a ponerme un inyectable, pues parece ser que tengo un poco baja la tensión.

DON LUIS. Pero como da igual un día que otro, si hoy están ustedes tan bien acompañados, yo no quisiera interrumpirles.

DOÑA PAULA. Por Dios... Maribel es ya como si fuera de la familia... Y el doctor en seguida termina... No te importa esperar un momento, ¿verdad?

DOÑA MATILDE. Eso. Y después seguiremos hablando... Hay que ultimar todos los detalles.

DOÑA PAULA. Voy a ir preparando las cosas en mi alcoba. ¿Me acompañas, Matilde? Y así, de paso, preparamos también el cóctel.

DON LUIS. ¿El cóctel?

DOÑA PAULA. Queremos ofrecer un aperitivo a nuestra querida Maribel. Aperitivo al que, naturalmente, queda usted invitado...

DON LUIS. Muchísimas gracias, señoras...

DOÑA MATILDE. Hasta ahora mismo.

DOÑA PAULA. Hasta ahora mismo.

(Y las dos señoras hacen mutis por el foro.)

DON LUIS. Por fortuna, ahora puedo hacer visitas más largas, y que la mayor parte de la clientela se ha ido de veraneo.

MARCELINO. Y usted pronto se irá también, según nos dijo.

DON LUIS. En efecto. Dentro de una semana. ¿Y qué tal la fábrica, don Marcelino?

MARCELINO. Deseando volver lo antes posible. Estos negocios, como usted sabe, no se pueden abandonar durante mucho tiempo.

(Y Maribel, sentada tímidamente en el sofá, mira a uno y a otro, sin saber qué decir ni qué hacer.)

DON LUIS. ¡Ah! Se me olvidaba darles las gracias por las cajas de chocolatinas que tuvo la amabilidad de enviarme, y que son realmente exquisitas. A mi esposa le gustaron muchísimo.

MARCELINO. Por favor, no vale la pena...

DON LUIS. Supongo, señorita, que habrá usted tenido la satisfacción de probarlas...

MARIBEL. *(Cada vez más violenta.)* Sí. Son buenas.

MARCELINO. La pobre Maribel se encuentra un poco cohibida, porque hoy, por primera vez, la he traído a casa para presentarles a mamá y a tía Paula.

DON LUIS. Estará usted encantada con ellas...

MARIBEL. Sí. Son muy simpáticas, ¿verdad?

DON LUIS. Y unas buenísimas personas... Y aunque a don Marcelino sólo he tenido el placer de saludarle dos o tres veces, también me ha causado excelente impresión.

MARCELINO. Es usted muy amable.

DON LUIS. No hago otra cosa que ser sincero.

> *(Y ahora, por la puerta del foro, aparece Doña Matilde.)*

DOÑA MATILDE. Marcelino...

MARCELINO. ¿Qué quieres, mamá?

DOÑA MATILDE. Si puedes venir un momento, te lo agradecería. Quisiera consultarte algo sobre el aperitivo.

MARCELINO. Perdonen ustedes, pero la tía Paula se ha empeñado en hacer un cóctel, cosa de la que no tiene la menor idea.

DON LUIS. No faltaba más...

MARCELINO. Vuelvo en seguida, Maribel. *(Y va hacia la puerta del foro, donde se ha quedado esperando doña Matilde.)* ¿Vamos, mamá?

DOÑA MATILDE. Al instante estamos aquí...

> *(Y hacen mutis los dos. Don Luis y Maribel quedan solos. Se miran. Don Luis va hacia ella sonriente, y ella se levanta cohibida, como temiendo que él pueda conocerla de la barra del bar. Pero don Luis se limita a decir una frase trivial.)*

DON LUIS. Parece que este verano se presenta poco caluroso...

> *(Maribel respira tranquila, no contesta y va hacia la puerta del foro para cerciorarse de que no hay nadie. Después se acerca a don Luis.)*

MARIBEL. Oiga.

DON LUIS. *(Sorprendido de todas estas cosas.)* Dígame.

MARIBEL. Usted es el médico, ¿verdad?

DON LUIS. Sí. Claro... ¿Por qué?...

MARIBEL. Y esta gente..., ¿está bien de la cabeza?

DON LUIS. ¿Cómo que si están bien de la cabeza?

MARIBEL. Vamos, quiero decir que si...

(Y se toca la sien con el índice.)

DON LUIS. Sí, sí. Lo comprendo perfectamente... Pero es que no me explico por que hace usted esa pregunta, señorita.

MARIBEL. *(Ya un poco nerviosa.)* Pero usted no es de pueblo, ¿verdad? Vamos, quiero decir que usted tiene aspecto de salir a la calle, y de andar por el mundo, y de saber lo que es la vida.

DON LUIS. Sí, claro. ¿Y qué?

MARIBEL. Si anda usted por el mundo, ¿cómo se explica entonces que me hayan dicho que si me quiero casar con el hijo?

DON LUIS. ¿Y no le parece a usted natural? Él es joven y rico y tiene deseos de casarse. Usted también es joven y bonita. ¿Qué puede extrañarle?

MARIBEL. *(Ganada por la tranquilidad y la sinceridad del doctor.)* Entonces, ¿está usted seguro que..., que de locos, nada?

DON LUIS. ¿Pero cómo puede usted pensar una cosa así? Conozco desde hace muchos años a doña Paula, y ahora, últimamente, he tenido oportunidad de tratar a su hermana Matilde y a su hijo. Y puedo asegurarle que son unas bellísimas personas. Bien es verdad que doña Paula tiene algunas inocentes manías, como eso de empeñarse en vivir sola, sin tener un servicio fijo, y de no salir a la calle, y de alquilar visitas...

MARIBEL. ¡Ah! ¿Alquila visitas?

DON LUIS. Sí, para distraerse. Pero comprenda usted que, aunque no los represente, ni muchísimo menos, tiene ya cerca de ochenta años, y que estas pequeñas —diríamos cho-

checes, para ser más claros— son propias de su edad. Pero
de loca, nada. Y de tonta, nada. En absoluto. Lo que pasa
es que ahora a las personas inocentes y buenas se las llama
locas o maniáticas, porque la verdadera bondad, por ser
poco corriente, no la comprende nadie.

MARIBEL. *(Mirando al doctor con aire sospechoso.)* ¡Ah!
Claro... Y dígame. ¿Y usted tampoco está así...?

DON LUIS. ¿Así? ¿Cómo?

MARIBEL. Así, como un poquito majareta...

DON LUIS. *(Un poco seco.)* ¿Pero qué le pasa, señorita?
¿Por qué esa manía de que en esta casa todos estamos locos?

MARIBEL. *(Se sienta fatigada, sin comprender nada.)* No,
no. Perdóneme, por favor, no vaya a decirles que yo le he
hecho todas estas preguntas... ¿Me lo promete?

DON LUIS. Puede usted estar tranquila, señorita. Con-
sidere esta conversación como una consulta de tipo profesional.

> *(Y don Luis la mira extrañado. Y ella saca un espejo
> del bolso y se mira la cara por un lado y por otro. Y por
> el foro entra Marcelino con una bandeja de empare-
> dados.)*

MARCELINO. Aquí traigo estos emparedados que ha hecho mamá. *(Y deja la bandeja sobre la mesa.)* ¡Ah, Maribel!
Están encantadas contigo, ¿sabes? Todos los elogios que han
hecho delante de ti no son nada comparados con los que
ahora, a solas, me acaban de hacer. *(Y se vuelve a médico.)*
Perdón, doctor... Mi tía me ha dicho que ya tiene todo dispuesto para la inyección y que puede usted pasar a su dormitorio.

DON LUIS. Voy en seguida. Hasta ahora mismito.

MARCELINO. ¿Le acompaño?

DON LUIS. Por Dios, conozco el camino perfectamente.

> *(Y hace mutis por la puerta del foro. Marcelino va
> hacia la llave de la luz.)*

MARCELINO. Voy a encender la luz. Ya es casi de noche.

MARIBEL. *(Angustiada.)* ¡No! ¡No enciendas la luz!

MARCELINO. ¿Pero qué ocurre con la luz?

MARIBEL. *(Triste. Apocada.)* Con la luz se me notará.

MARCELINO. ¿Qué es lo que se va a notar? No digas tonterías… *(Y enciende. Maribel baja la cabeza avergonzada, como si se sintiera desnuda. Marcelino va hacia ella.)* Con la luz estás más guapa todavía.

MARIBEL. *(Suplicante.)* Yo quiero hablarte en serio.

MARCELINO. Ya está todo hablado, Maribel.

MARIBEL. ¡Pero esto es absurdo! ¡Yo no me puedo casar contigo!

MARCELINO. ¿Por qué?

MARIBEL. *(Casi a punto de echarse a llorar.)* ¿Pero no lo comprendes? ¿Es que vas a obligarme a… a hablar claro?

MARCELINO. ¡Ah, ya. ¿Tienes acaso otro novio?

MARIBEL. ¡Tengo muchos novios! ¡Muchos! ¿Te enteras?

MARCELINO. Eso es natural, viviendo en una ciudad como ésta, y con la independencia con que tú vives… Pero a ésos que tú llamas novios, y que serán simplemente chicos para salir y divertirse, los dejarás ahora, ¿sabes? Los dejarás para casarte en seguida conmigo. ¿O es que…? ¿O es que no te gusto?

MARIBEL. Eso me es igual. No se trata de que me gustes, o no me gustes…

MARCELINO. *(Cambia de tono. Se aleja de ella.)* Nunca he tenido suerte con las mujeres, y quizá a eso sea debida mi timidez, ¿comprendes? Desde muy joven empecé a sufrir pequeños fracasos amorosos, que a mí me parecían grandes, enormes, y que me torturaban y me dejaban triste años y años… Por eso, cuando entré por primera vez en aquel bar, y te vi en la barra, y noté que tú me mirabas y me sonreías…

MARIBEL. *(Casi gritando.)* ¡Miro a todos! ¡Sonrío a todos!

MARCELINO. *(Se acerca de nuevo, cariñoso.)* Vamos, Maribel. No vayas a presumir ahora de coqueta o de mujer mala… Yo estoy seguro que a mí me sonreíste de una manera especial. Me miraste como nunca me había mirado ninguna otra mujer… Y yo lo noté y sentí algo… Bueno…, algo que es muy difícil de explicar. Por eso te quiero. Por eso deseo casarme contigo. ¿Quieres darme un beso, Maribel?

MARIBEL. *(Se separa de él avergonzada.)* ¡No! ¡Déjame!

(Y por el foro, momentos antes, ha aparecido doña Matilde con una coctelera en la mano.)

DOÑA MATILDE. ¡Pero Marcelino! ¿Cómo te atreves a querer besar a tu prometida en tu propia casa? Eso está muy feo, hijo. Y me alegra mucho que Maribel se haya negado, lo que demuestra que en esta época, a pesar de tanto modernismo, las mujeres son tan decentes como en nuestros tiempos.

MARIBEL. *(Decidida.)* Yo tengo que irme, doña Matilde.

DOÑA MATILDE. Perdónale, Maribel. Para estas cosas es un chiquillo. Vamos, no debes enfadarte.

MARCELINO. No he querido ofenderte. Debes disculparme.

DOÑA MATILDE. Y, sobre todo, no puedes despreciar una copita de este cóctel que estoy batiendo, y que se llama *gin-fizz*.

(Y agita la coctelera con ademán de «barman».)

MARCELINO. ¿Quieres antes ir probando un emparedado?

MARIBEL. No, muchas gracias. No me apetece nada.

DOÑA MATILDE. Ya te apetecerá... *(Y le da la coctelera a Marcelino, mientras ella hace lo que va diciendo.)* Sigue batiendo esto, Marcelino, mientras yo preparo el disco de Elvis Presley para hacérselo oír al doctor. *(A Maribel.)* Ya verás cómo también te gusta a ti. Es un disco precioso... ¡Ah! ¿Y qué te ha parecido el doctor? Simpatiquísimo, ¿verdad? Y además un médico estupendo. Una verdadera notabilidad.

MARCELINO. ¿Por qué no tomas un *sandwich*, Maribel?

MARIBEL. *(Suplicante. En voz baja.)* Dame una copa antes. ¡Pronto! ¡Quiero beber algo!

DOÑA MATILDE. Será más correcto que esperemos a que vengan Paula y el doctor, ¿no os parece?

MARCELINO. Desde luego, mamá.

Doña Matilde. *(Que está cerca de la puerta del foro.)* ¡Ah, ya están aquí!

> *(Y por la puerta del foro entra doña Paula, seguida del doctor.)*

Doña Paula. ¡Ah! ¿Habéis encendido? Qué bien. *(Y Maribel, procurando que nadie se dé cuenta, se toma de un trago el contenido de una copa.)* El doctor me ha puesto la inyección y me ha tomado el pulso y esas cosas, y dice que estoy maravillosamente.

Marcelino. ¿De verdad, doctor? ¿Encuentra bien a la tía Paula?

Don Luis. Doña Paula, de tener algo, sólo tiene aprensión.

Doña Paula. Bien, en ese caso, ya ha llegado la hora de que tomemos una copita. ¿No es verdad, Maribel?

Maribel. *(Dócil.)* Sí. Lo que ustedes quieran.

Marcelino. Os estábamos esperando.

Doña Paula. ¿Has preparado el disco, Matilde?

Doña Matilde. Sí. Ya está todo dispuesto.

Don Luis. ¿Y por qué en lugar de poner un disco no toca usted el piano, doña Paula? Usted es una consumada profesora.

Doña Paula. ¡Por Dios! ¡Qué horror! ¡Pero si sólo sé tocar cosas de mi época! Y a Maribel, a lo mejor, esas cosas no le gustan nada.

Don Luis. Hay cosas antiguas mucho más bonitas que las modernas. ¿No opina usted igual, señorita?

Maribel. Sí, sí. Lo que ustedes prefieran.

Doña Paula. Está bien. Si Maribel quiere que toque el piano, tocaré el piano. Yo no soy de las que se hacen de rogar... Pero antes bebamos el cóctel.

> *(Marcelino ha ido sirviendo los vasos de «gin-fizz» y la familia los va repartiendo. Maribel, el suyo, se lo bebe de un trago. Y los demás brindan con acento tierno y emocionado.)*

Doña Matilde. Por la felicidad de nuestros hijos.

DOÑA PAULA. Porque sean todo lo dichosos que merecen.

DOÑA MATILDE. Por su bienestar.

DON LUIS. Por su salud...

MARIBEL. *(En voz baja a Marcelino.)* Dame otro.

MARCELINO. ¿Te gusta?

MARIBEL. Sí. Mucho. Dame otro.

> *(Y mientras Marcelino se lo da, y Maribel se lo bebe de un trago, doña Paula habla; muy en plan de visita, todos ellos.)*

DOÑA PAULA. Por cierto, doctor, que no le he preguntado por sus niños. ¿Siguen tan guapos?

DON LUIS. Ya los he mandado a la Sierra, porque el calor de Madrid no les conviene nada.

DOÑA PAULA. ¡Si vieras los niños que tiene el doctor, Maribel! ¡Una preciosidad! Un niño y una niña, los dos rubios, que son una verdadera monería.

DOÑA MATILDE. ¿Te gustan a ti los niños, Maribel?

MARIBEL. No sé...

DOÑA PAULA. ¿No sabes?

MARIBEL. *(Las dos copas la han animado un poco. Y quiere hablar. Hablar como hablan los demás.)* Bueno, una amiga mía tiene uno, pero nunca lo veo. Pero a mi amiga sí le gustan, ¿sabe? Y los domingos no sale a lo suyo, y se lo dedica a él y lo saca a paseo. Y yo un día le compré una pelota de colores, de esas grandes, y su madre se la llevó, y dice que se puso muy contento... Pero yo no estoy segura, claro. Son cosas que se dicen por cumplir, ¿verdad?

DOÑA PAULA. Sí, a veces.

MARIBEL. *(Ya lanzada, quiere seguir.)* Y la portera de mi casa, bueno, de la casa en donde está la pensión en que estoy viviendo, también tiene un sobrino... Pero ése es más travieso... ¡Jolín!

DOÑA MATILDE. *(La interrumpe, ofreciéndola la bandeja.)* ¿Un emparedado?

MARIBEL. No. *(A Marcelino.)* Mejor otra copa... *(Y vuelve a beber. Doña Paula ha ido a sentarse al piano. Los demás, mientras, observan con curiosidad a Maribel. Hay un silencio que Maribel rompe.)* Bueno, tía Paula... ¿Y qué hace usted que no toca el piano?

DOÑA PAULA. *(Solemne.)* Sí, hija mía, sí. Para ustedes, y con todo mi cariño. «Para Elisa», de Beethoven.

> *(Y empieza a tocar. Y todos escuchan, mientras va cayendo el*

TELÓN

ACTO SEGUNDO

El mismo decorado. De ocho a nueve de la noche.
Las luces están encendidas

(Al levantarse el telón vemos a Pili y a Niní que están
sentadas junto a la mesa redonda de la derecha. Y a
Rufi, que se sienta en el sofá de la izquierda. Las tres
son compañeras de trabajo de Maribel, pero quizá un
poco más baratas que esta última. Y las tres son —entre
sí— bastante diferentes. Niní, la más jovencita, es tam-
bién la más ingenua. A veces parece un poco tonta, pero
es que la pobre va de buena fe. Rufi, la de más años,
es la más tranquila y serena. Y al presumir de experien-
cia, presume igualmente de sabiduría. También presume
de piernas bonitas y por eso lleva la falda más corta y
más estrecha que sus amigas. Y Pili es la descarada y
contestona. La del genio. La que se las da de mala, sin
llegar a serlo.

Las tres están calladas, y desde el sitio que ocupan,
miran con curiosidad los muebles y objetos que hay en
la habitación. En el mirador hay cierto barullo producido
por los canarios, que cantan, todos a la vez, y por la co-
torra, que dice algo que no se entiende.

Hay una pausa larga, con este ambiente, antes que
Pili empiece a hablar.)

PILI. ¡Pues vaya follón que se traen los animalitos¡
¡Ni que estuviéramos viendo una película de Tarzán!
NINÍ. ¡Y a mí que ese ruidito que hacen me gusta mucho!...
RUFI. No es ruido, Niní... Son las aves que cantan.

PILI. ¡Pues vaya un cante! ¡Qué barbaridad! ¡Para mis nervios es ese soniquete!

RUFI. Como no salís de la Gran Vía no sabéis lo que es lo bucólico.

PILI. Déjate ahora de bucolismos y bájate un poco la falda, que estarás mejor.

RUFI. ¡Hija! ¡Jesús! ¡Qué pesada estás con la faldita!

(Y se las estira todo lo que puede.)

NINÍ. ¡Es que hay que ver cómo te sienta, Rufi!

RUFI. ¡Pues no sé cómo me voy a sentar, caramba!

PILI. ¡Pues como las personas decentes, nena!

RUFI. Entonces aprenderé de ti, ¿verdad, guapa?

PILI. Mejor te iría, digo yo...

RUFI. ¡Ay, qué gracia! ¿Desde cuándo me va a mí mal?

PILI. Desde que te dieron el primer biberón.

RUFI. Mira, Pili. A mí no me hables con retintín, porque me quito un zapato y te lo meto en la cabeza.

NINÍ. ¿Queréis callar? ¡Pues sí que empezáis bien para venir a una visita de cumplido!

PILI. Ésta, que se está poniendo muy impertinente.

RUFI. Ni impertinente, ni narices, Pili. Pero si vienes invitada a una casa, como hemos venido nosotras, hay que comportarse como una señora; vamos, digo yo.

PILI. Quien debe comportarse como una señora es Maribel. Porque si nos ha dejado un recado para que vengamos, lo menos que debe hacer es salir pronto a recibirnos y no tenernos media hora en esta habitación con el ruido ese de la selva.

(Se refiere a los pájaros, que siguen cantando.)

RUFI. Ya nos ha dicho la que nos ha abierto la puerta que Maribel estaba en la alcoba, dándole una friega a la que está enferma; pero que en seguida vendría...

PILI. Pues ya se podía aligerar, porque una no está para perder el tiempo. Y a mí, a las ocho, me espera un señor que ha venido de El Escorial.

Niní.   Bueno, pero que yo me entere... La que está pachucha, quién es, ¿la madre o la tía?

Pili.   ¡La madre del conde!

Rufi.   ¡Pero si no es conde!

Pili.   ¡Y qué más da, caramba!... ¿No estamos de visita? Pues a ponernos finas...

Niní.   Entonces, la vieja esa que nos ha abierto quién es, ¿la tía o la asistenta?

Rufi.   ¡Pero hija! ¡Es que no te enteras nunca de nada! Pues lo ha dicho bien claro: «Aquí, servidora, la tía de Marcelino. Doña no sé qué de no sé cuántos». Yo lo he entendido perfectamente.

Niní.   Pues a mí me parece simpática, ¿verdad?

Pili.   A ti te parecen simpáticos hasta los gatos.

Niní.   Y así soy más feliz... ¿Hago daño con eso?

Rufi.   ¿Y aquí se podrá fumar o estará prohibido?

Pili.   Si estuviera prohibido lo pondría en un cartel.

Rufi.   Pues entonces, dame un pitillo... (*Y Pili le da un un cigarrillo.*) Lo que no me explico es por qué se le ocurre llamarme a mí para que le ponga una inyección a la que está mala. Porque si tienen dinero, como Maribel dijo, lo natural es que llamen a un practicante...

Pili.   Eso digo yo.

Niní.   Bueno, pero que yo me entere... ¿El recado a quién se lo dejó?

Rufi.   A la chica de la pensión. A la Justina. Y también encargaba que os trajera a vosotras. A Pili y a Niní.

Pili.   A mí todo esto me da muy mala espina, la verdad... Yo creo que aquí hay tomate.

Rufi.   Tampoco hay que ser tan pesimista... La chica es cariñosa y querrá vernos...

Niní.   Pues claro está que sí... Yo no la veo hace la mar de tiempo. Lo menos siete días.

Pili.   A mí me pasa igual. Desde que nos contó lo del novio este...

Rufi.   Yo la veo más, pero de refilón... Como se viene aquí a eso de las tres, cuando nosotras estamos durmiendo todavía, y vuelve a casa cuando ya estamos en la calle...

Niní.   ¡Pues en la pensión están buenas con ella!

PILI.   Me lo vas a decir a mí…

RUFI.   Como que la quieren echar a la calle.

NINÍ.   *(Que está cerca de la puerta del foro.)* Callar, que viene alguien.

> *(Por la puerta del foro entra Maribel, haciendo una labor de ganchillo. Lleva un vestido diferente al del acto anterior, que quiere ser más correcto, pero que no lo llega a ser del todo. Se muestra desenvuelta y anda por la casa como si fuera suya. Y se expresa y habla en un tono muy diferente a como hablaba cuando por primera vez la conocimos.)*

MARIBEL.   *(Va besando a cada una de sus amigas.)* Hola, Rufi. Hola, Pili. Muchas gracias, Rufi, por haber venido.

RUFI.   De nada, chica. No las merece.

MARIBEL.   Claro que sí… Has sido tan amable… Hola, Niní.

NINÍ.   Hola, Maribel.

MARIBEL.   Sentaos, por favor. *(Y todas se sientan.)* Debéis perdonarme que os haya hecho esperar este poquito, pero es que estaba dándole una friega de alcohol alcanforado a mi futura madre y, como siempre, se ha puesto a hablarme de su pequeña enfermedad y de sus múltiples dolencias y no me dejaba moverme de su dormitorio… ¡Es tan atenta y tan deliciosamente cariñosa!… Y como Marcelino ha tenido que ir al mecánico para arreglar el coche, cuyo *cicler* estaba obstruido, se encontraba la pobre un poco decaída y solitaria… También debes disculparme, Rufi, por haberme tomado la libertad de llamarte, pero como aquí no conocemos a ningún practicante y el médico de cabecera está de veraneo, he pensado que no te importaría nada hacerme este pequeño favor… ¡Y qué alegría que hayas traído a Niní ¡Y a Pili! ¡Hacía tanto tiempo que no tenía el gusto de verlas! ¡Estáis guapísimas!… ¡Realmente seductoras!… *(Y de repente se levanta.)* ¡Ah! ¡Perdón! Qué olvido imperdonable! Disculparme un momento… Os voy a traer una caja de aquellas chocolatinas de las que os hablé, para que comprobéis que realmente son exquisitas… Es sólo un instante…

(Y hace mutis por el foro. Sus tres amigas, como desde el primer momento que Maribel se puso a hablar, siguen mirándose asombradas. Y ahora exclaman atónitas.)

RUFI.   ¡Atiza!

PILI.   ¡Pero bueno!

NINÍ.   ¿Y por qué habla así ahora?

RUFI.   Eso digo yo... ¡Pero qué estrambótica!

PILI.   Pero si parece un poeta.

NINÍ.   *(Mirando extrañada la labor de ganchillo que Maribel ha dejado sobre la mesa.)* ¿Y por qué le estará haciendo agujeros a este trapito?

RUFI.   No es un trapito, nena. Es un crochet...

NINÍ.   Sea lo que sea, se pasa de finolis.

PILI.   Déjate de finolis. Lo que ocurre es que aquí hay algo raro. Que te lo digo yo. Que esto termina mal...

RUFI.   Bueno, raro tampoco es... Lo que sucede es que Maribel es lista, y el trato con esta familia la ha ido afinando.

PILI.   ¡No digas tonterías! En quince o veinte días que los lleva tratando no se afina ni el cutis... Yo lo que creo es que está hipnotizada.

NINÍ.   ¿Ah, sí?

PILI.   O a lo mejor, que le han dado una droga.

NINÍ.   Es verdad... Pero si parece una sonámbula.

RUFI.   ¿Queréis no empezar con vuestras fantasías?

PILI.   *(Que escucha algo.)* Callar, que viene aquí otra vez.

(Y vuelve a entrar Maribel con una caja de chocolatinas.)

MARIBEL.   Aquí traigo la caja... Ya veréis qué ricas... Prueba una, Rufi. Y tú, Pili. Toma, Niní, criatura...

RUFI.   Gracias.

PILI.   Gracias.

NINÍ.   Gracias.

MARIBEL.   ¿Veis la marca? «Terrón e Hijo». El hijo es Marcelino. Mi amor... El que va a ser mi esposo.

PILI.   ¡Qué bien!

NINÍ.   *(Intentando ser fina.)* Muy sabrosas.

PILI.   *(Igual.)* Y qué elaboración, ¿verdad?

Rufi. *(Igual.)* Sí. Se ve que dispone de muy buenas materias primas.

Maribel. Excelentes. De momento, no podemos quejarnos.

Rufi. Bueno... Y a tu futura madre, ¿qué es lo que le acontece?

Niní. ¿La reuma, tal vez?

Maribel. No. Nada de cuidado... Un catarrillo sin importancia... Sólo lleva tres días en cama... ¡Ah! Y no sabes cómo se ha puesto de contenta cuando le he dicho que por fin has venido para ponerle la inyección. La tía está preparándolo todo, y ahora vendrá a avisarte para que pases a la alcoba. ¡Los deseos que tenía de conocerte! ¡Como les he hablado tanto de ti, y de tu niño!...

Rufi. ¿Pero también le has hablado del chico, oye?

Maribel. Sí, claro... ¿Por qué no? ¿Es que tener niños es pecado?

Rufi. Depende de cómo se tengan.

Maribel. ¡Qué tontería!... Los niños se tienen siempre de la misma forma... Y, sobre todo, que en esta casa somos todos muy modernos y no damos importancia a estas pequeñeces... Además, como es lógico, les he dicho que estás casada con el padre, que es ingeniero de Minas.

Rufi. ¿Tanto?

Maribel. ¿Y es que no es verdad? ¿Es que ya no te acuerdas, mujer? ¡Un hombre tan simpático y con una carrera tan brillante! *sobre Marcelino*

(Las tres amigas no salen de su asombro. Y Rufi decide que se explique.)

Rufi. ¡Bueno, oye, Maribel!

Maribel. *(Cortándola, fríamente.)* ¿Decías algo?

Rufi. *(Acobardada.)* No. Nada.

Maribel. *(Vuelve a cambiar de tono.)* ¡Ah! También les he hablado de vosotras, que sois compañeras de pensión y que estáis estudiando en la Universidad... *(A Niní.)* Y que tú, en este curso, has sacado sobresaliente en latín.

Niní. ¿En latín?

MARIBEL.   ¿Pero no te acuerdas cuando llegaste a casa
con tu diploma?... ¡Qué alegría nos diste a todas!... ¡Fue un
día inolvidable!

PILI.   *(Lo mismo que antes hizo Rufi)* ¡Bueno, oye, Maribel!...

MARIBEL.   ¿Decías algo?

PILI.   No, no; nada.

MARIBEL.   ¿Y qué? ¿Qué os parece la casa? Muy hermosa, ¿verdad? *(Se ha levantado para mostrar todo.)* ¿Habéis
visto la cotorra? Se llama *Susana.* Y los canarios son preciosos... ¡Siempre con sus trinos!... Y fijaros la vista que
tiene el mirador. Se ve toda la calle de Hortaleza...¡Tan linda!
¡Y en esta butaca se está más bien!... Yo me paso aquí muchas tardes haciendo labor de ganchillo... ¡Ah! Y con esta
caracola se escucha todo el ruido del mar... Y éste es el
piano. Doña Paula lo toca muy bien... ¡Si vierais el cariño
que le tengo yo a doña Paula!

PILI.   Claro, claro, es natural... Todo es muy natural.

MARIBEL.   No sé por qué hablas con ese tono, Pili.

PILI.   No hablo con ningún tono. He dicho que es natural. ¿O es que no se puede decir eso delante de la cotorra?

NINÍ.   ¡Cállate, Pili!

MARIBEL.   ¿Por qué va a callarse? Puede hablar cuanto
quiera. Porque estoy segura de que si yo les he tomado cariño, vosotras se lo vais a tomar también. ¡Y vendréis a pasar aquí muchas tardes!

PILI.   Igual que tú, ¿verdad?

MARIBEL.   Sí. ¿Por qué no?

RUFI.   *(Ya cansada.)* Bueno, Maribel, ya está bien.
¿Qué es lo que te pasa? ¿Por qué hablas así?

MARIBEL   No sé. ¿Cómo hablo?

PILI.   No te hagas la tonta. ¿O es que nos está escuchando
alguien?

MARIBEL.   No. ¿Por qué? Están las dos hermanas en el
dormitorio... Y no hay más gente en casa.

RUFI.   Por si acaso, mira por ahí, niña...

(Y Niní se asoma a la puerta del foro.)

NINÍ.   No se ve a nadie. Sólo hay un pasillo la mar de largo.

RUFI.   Entonces vamos a hablar claro… ¿Por qué dices tantas cosas raras? ¿Te has vuelto loca o qué te sucede?

MARIBEL.   No me sucede nada.

PILI.   No me digas que no… Si pareces otra.

NINÍ.   Como si te hubieran cambiado.

MARIBEL.   *(Se sienta abatida y preocupada.)* ¡Cambiarme!… Sí. Eso sí es posible… Yo no sé lo que me ha ocurrido, pero me encuentro tan distinta… Y no lo hago por presumir, de verdad, os lo juro. Ni por darme importancia… Yo, en el fondo, quisiera ser como era, como sois vosotras, pero ya no puedo… Aquello terminó.

NINÍ.   ¡Pues vaya un plan!

PILI.   ¿Y estás segura que no te han echado unas gotitas en el vaso del agua?

MARIBEL.   ¡Cómo puedes pensar una cosa así!

RUFI.   Y, sin embargo, tienes que volver a la realidad, ¿te enteras? ¿Sabes lo que debes de pensión?

MARIBEL.   *(Avergonzada.)* Sí. Mucho.

RUFI.   Desde que te pasas aquí casi todo el día no haces nada. No ganas dinero.

MARIBEL.   ¡Pero me voy a casar!… Debéis comprenderlo.

PILI.   Y mientras que te casas, ¿qué? ¿Vas a vivir del aire?

NINÍ.   La patrona me ha dicho que te va a poner en la calle.

PILI.   Y ya sabes cómo las gasta.

RUFI.   ¿Por qué no le pides cuartos a tu novio?

MARIBEL.   No. No puedo hacer eso. Estaría muy feo.

PILI.   Pero ¡caray!, ¿es que él no se da cuenta de nada?

MARIBEL.   De nada. Nunca habla de estas cosas. Supone, por lo visto, que mi familia me envía algún dinero.

RUFI.   Pero eso, por lo menos, lo debías aclarar.

MARIBEL.   ¿Aclarar?… *(Maribel las mira. Y antes de contestar va también a observar por la puerta del foro, por si alguien la escucha. Después se sienta junto a sus amigas. Y se muestra sincera y preocupada.)* ¿Sabéis que he intentado aclarar todo desde el primer momento, desde el primer día que puse los pies en esta casa? ¿Que he tratado por todos los medios que ellos lo comprendiesen? Pero no comprenden nada. Nadie comprende nada aquí. Me han tomado cariño, me respetan, me miman... Me invitan a almorzar aquí, con ellos. Voy al cine con Marcelino, que cada día está más cortés y más tímido, y que me convida a bombón helado en los descansos, y me besa la mano al despedirse. Y lo malo es que me encuentro aquí a gusto; que también, por mi parte, le he tomado cariño a él y a las viejas. Que he descubierto de pronto que esta vida es la que me gusta, y no la otra. Y que, de repente, sin darme cuenta, me salen palabras que no había dicho nunca, y me expreso de otro modo más fino, y hasta olvido totalmente lo que he sido hasta ahora.

PILI. ¡Que ya es tener poca memoria!

MARIBEL. No digas impertinencias, porque a vosotras os pasaría igual. En mi mismo caso, ¿qué ibais a hacer? ¿Pregonarlo a los cuatro vientos? Por otra parte, ¿es que llevamos un letrero en la espalda diciendo lo que somos? ¿Y si fuera verdad, como piensan ellos, que en lugar de ser unas mujeres malas sólo somos unas chicas modernas? ¿Unas jóvenes de nuestro tiempo?

RUFI. En eso llevas un poco de razón.

NINÍ. Claro que sí... Unas cabecitas locas, como dice mi «mami».

RUFI. Y, sobre todo, ¿no querían casar al hijo con una chica moderna? Pues que tomen modernas...

MARIBEL. Y os quiero ser franca. Si os he traído aquí esta tarde, aparte de lo de la inyección, es para hacer una última prueba.

PILI. ¿Una prueba de qué?

MARIBEL. Vamos a suponer, por lo que sea, que a mí no se me nota lo que soy. Bueno, lo que he sido. Pero que no es os note a vosotras ya es difícil; porque, hijas, hay que ver cómo vais...

PILI. Oye, guapa, sin ofender.

MARIBEL. No es ninguna ofensa, porque la faldita que llevas, se las trae... Y, sin embargo, ya habéis visto cómo os ha recibido doña Paula cuando habéis entrado... Ahora, en el cuarto, me ha dicho que parecéis unas muchachas encantadoras y muy cultas.

Niní.   ¿Muy cultas?

Maribel.   Sí. Muy cultas. Y esto quiere decir que no se dan cuenta de nada. Que son buenas, que son inocentes, que no tienen maldad... ¿Por qué les vamos a causar una desilusión? ¿Y por qué vamos a prescindir nosotras de esa poca ilusión que siempre nos queda?

Rufi.   ¿Y tú estás segura que de locas, nada?

Maribel.   Hablé con el médico de cabecera. Y dijo que ni hablar... Y él también me trató como a una señorita.

Pili.   ¡Pues vaya ojo clínico!

Rufi.   ¡Calla, Pili!

Maribel.   Y yo estoy empezando a creer que, en efecto, lo somos. Es decir, casi he llegado a convencerme... Es cuestión de pensarlo, de decidirlo... Y ya no tengo ningún complejo, porque ellos me han quitado todos los que tenía. ¡Y es como empezar a vivir otra vez! ¡Si vierais lo maravilloso que es sentirse nueva, diferente! ¡Con una familia! ¡Con un novio que te besa una mano con respeto!

Niní.   Y debiendo un mes de pensión.

Pili.   Quince días. Porque hoy le he pagado la mitad, a cuenta.

Rufi.   ¿Es verdad?

Pili.   No vamos a dejar que la echen a la calle.

Maribel.   *(Conmovida.)* Gracias, Pili. ¿Por qué presumes de mala si eres más buena que ninguna?

Pili.   Para defenderme.

Maribel.   Te devolveré muy pronto ese dinero.

Pili.   Eso no debe preocuparte. En cambio, todo esto...

Maribel.   ¿Qué?

Pili.   No sé. Esta situación tuya. ¿Para qué vamos a andar con tapujos...? A mí todo esto me da muy mala espina. Yo no creo en la inocencia de la gente.

Maribel.   La portera me dijo un día que son de muy buena familia, y que ella los conoce de toda la vida... Estos cuadros son de sus antepasados... Mirad. Este señor era el abuelo materno.

Pili.   Tiene una cara rara...

Rufi.   ¿Qué cara quieres que tenga, si se ha muerto?

Pili.   Y esa puerta, ¿adónde da?

(Por la de la izquierda.)

MARIBEL. Creo que hay un despacho que era del marido de doña Paula. Pero nunca lo utilizan y siempre tienen la puerta cerrada.

PILI. Es raro que la tengan cerrada.

NINÍ. Hija, a ti todo te parece raro...

PILI. Si me vas a decir que el caso de ésta se está dando todos los días entre las mejores familias...

NINÍ. Callad, que viene alguien.

MARIBEL. *(Se asoma a la puerta del foro.)* Es doña Paula.

(Y entra por el foro doña Paula. El mismo vestido del acto anterior. Y siempre sonriente.)

DOÑA PAULA. Ustedes me perdonarán que las tenga tan abandonadas, pero me estaba ocupando de la merienda de mi hermana Matilde. Como por las tardes no viene la asistenta, pues me encuentro yo sola para todo, aunque si he de serles franca, prefiero estar sola que mal acompañada... Y, en el fondo, el trajín de la casa me entretiene muchísimo... Pero siéntense, siéntense.

MARIBEL. Claro, sentaos.

RUFI. Muchas gracias.

NINÍ. Con permiso.

(Y se sientan todas.)

DOÑA PAULA. Por otro lado, estaban ustedes con Maribel, y Maribel es ya como si fuera de la familia... Qué buena es Maribel, ¿verdad?

RUFI. Muy buena.

NINÍ. Mucho.

PILI. Muchísimo.

MARIBEL. ¿Qué van a decir ellas? ¡Son tan amigas mías!

RUFI. Sólo decimos la verdad.

DOÑA PAULA. ¡Si vieran ustedes el cariño que la

tenemos en esta casa!... ¡Y no digamos nada Marcelino!
¡Está tan enamorado de ella!... *(A Maribel.)* Por cierto,
me choca mucho que no esté ya en casa, ¿verdad?

MARIBEL.   ¿A qué hora se marchó?

DOÑA PAULA.   Hace más de dos horas.

MARIBEL.   Entonces no tardará en volver, no debe preo-
cuparse...

DOÑA PAULA.   Como tiene un coche tan antiguo se pasa
las tardes enteras en los talleres de reparaciones... ¡Po-
brecillo! ¡Es tan bueno! ¡Y el automóvil es tan malo! ¡Ah!
Además he estado hirviendo la jeringuilla y preparando
el inyectable para que cuando tu amiga quiera, Maribel,
pase a ponérsela a mi hermana.

MARIBEL.   Cuando usted diga, doña Paula.

RUFI.   Yo estoy aquí a su disposición.

DOÑA PAULA.   Pregúntale a Matilde si le parece bien que
vayamos ya.

MARIBEL.   Sí. Voy en seguida.

(Y hace mutis por el foro.)

DOÑA PAULA.   *(A Rufi.)* Ha sido usted muy amable vi-
niendo, señorita. Digo, señora... Porque ya nos ha dicho
Maribel que tiene usted un niño muy rico.

RUFI.   Sí, eso sí. No me puedo quejar.

NINÍ.   El nene es muy hermoso.

DOÑA PAULA.   Pues a ver cuándo lo trae usted para que
le regalemos unas cajas de chocolatinas... Y también tendremos mucho gusto en conocer al padre del niño.

PILI.   Eso mismo quisiera ella.

DOÑA PAULA.   ¿Cómo ha dicho?

PILI.   No, nada.

NINÍ.   Es que siempre está de broma.

DOÑA PAULA.   Tiene cara de ser muy traviesa. *(A Rufi.)*
¿No es cierto?

RUFI.   Sí que lo es, sí. ¡Si viera usted qué café tiene!

DOÑA PAULA.   ¡Ah! ¿Pero tiene un café?

PILI.   Yo no. Mis padres...

RUFI.   En su pueblo, ¿sabe?

Escena de *Maribel y la extraña familia*. Madrid, Teatro Beatriz, 1958.
De izquierda a derecha, las actrices María Luisa Ponte, Maritza
Caballero, Irene Gutiérrez Caba y Laly Soldevilla.

Escena de *Maribel y la extraña familia*. Madrid, Teatro Beatriz, 1958.
De izquierda a derecha, Maritza Caballero, Paco Muñoz, Laly
Soldevilla, Irene Gutiérrez Caba y María Luisa Ponte.

DOÑA PAULA.   Muy bien, muy bien... *(A Rufi.)* Y usted
lleva una falda muy bonita.

RUFI.   ¿Verdad que sí? Pues ya ve usted, éstas siempre
se están metiendo con mi faldita.

DOÑA PAULA.   ¡Por Dios! ¡Pero si le está divinamente!
Bueno, las tres van ustedes preciosas y muy modernas, como a mí me gusta. *(A Niní.)* Y usted es muy guapita... ¿Cómo se llama?

NINÍ.   Niní.

DOÑA PAULA.   ¡Huy, Niní! ¡Qué cortito!

(Y entra Maribel por la puerta del foro.)

MARIBEL.   Cuando quieras, Rufi. Doña Matilde te está
esperando.

DOÑA PAULA.   *(Se levanta.)* ¿Pasa usted a ponérsela?

RUFI.   Encantada.

MARIBEL.   Yo iré también para presentar a mi amiga.

DOÑA PAULA.   Pasaré delante, para enseñarle el camino

(Y hace mutis por el foro.)

MARIBEL.   Pasa. Rufi.

RUFI.   Gracias.

(Y hace mutis detrás de doña Paula.)

MARIBEL.   *(A Pili y Niní.)* Vuelvo en seguida.

(Y hace mutis también. Quedan solas Niní y Pili.)

PILI.   Bueno, ¿pero tú estás viendo?

NINÍ.   ¿Qué es lo que estoy viendo?

PILI.   Pues todo... ¿Qué va a ser? Si la señora ésta prefiere estar sola a mal acompañada, ¿cómo es que nos deja
estar aquí?

NINÍ.   Porque somos amigas de Maribel.

PILI.   Pero de todos modos es muy raro que si la otra
vieja está mala no llamen a un médico.

NINÍ. No será nada de cuidado.

PILI. ¿Pero y si lo es? A la edad de estas señoras todo es de cuidado. ¿Y cómo estando la madre mala, el hijo no está aquí y se pasa la tarde arreglando el coche? ¿Para qué lo quiere arreglar?

NINÍ. Será para tenerlo arreglado, hija.

PILI. Y esa puerta ¿por qué no la abren?

NINÍ. ¡Chica, qué manías!... ¡A todo le tienes que poner defectos!

PILI. Mira, Niní. Hazme caso a mí. Siempre que en una casa hay una puerta que no se abre, es que en esa casa hay gato encerrado.

> *(En ese momento se abre la puerta de la izquierda y, silenciosamente, sale por ella don José. Es un hombre de unos sesenta años, un poco extraño, vestido de luto y con un aire triste. Se dirige hacia la puerta del foro, pero al ver a Niní y Pili, las saluda.)*

DON JOSÉ. Buenas.

PILI y NINÍ. *(A las que apenas les salen las palabras del cuerpo.)* Buenas...

> *(Y una vez que las ha saludado, sigue su camino, abre la puerta que da a la escalera, sale y deja cerrado. Pili y Niní no salen de su asombro. Están inquietas y asustadas.)*

PILI. ¿Qué dices ahora?

NINÍ. Nada. No puedo hablar.

PILI. Conque no había nadie en esa habitación, ¿eh?

NINÍ. Pues ya ves...

PILI. Conque estaba siempre la puerta cerrada...

NINÍ. Oye, tú. Yo me voy.

PILI. Espera.

NINÍ. Es que a mí esto no me gusta nada. Aquí hay fantasmas.

PILI. Ha dejado la puerta abierta. Anda. Mira a ver lo que hay dentro.

NINÍ. ¡Narices! Mira tú si quieres.

Pili. Pues claro que miro. *(Y entreabre la puerta y observa dentro.)* Es un despacho. Con una mesa, y muchos estantes... Y la luz de la mesa está encendida.

Niní. *(Que nunca está cerca de la puerta del foro.)* ¡Cierra! ¡Que viene!

(Y las dos se reúnen cerca de la mesa redonda, y se quedan de pie. Por la puerta del foro entra doña Paula.)

Doña Paula. Le ha puesto la inyección maravillosamente... Desde luego mucho mejor que el médico... ¿Pero qué hacen ustedes de pie?

Pili. No, nada...

Doña Paula. Y yo ahora les voy a hacer a ustedes una taza de té para que merienden aquí con nosotras... ¿Les gusta el té, o prefieren un cóctel?

Niní. No preferimos nada.

Pili. No se moleste. Nos vamos a ir porque a mí me está esperando un señor...

(Y entra Maribel, que se sorprende de ver a sus amigas tan asustadas.)

Maribel. ¿Pero qué os pasa?

Doña Paula. Eso digo yo... ¿Cómo están ustedes tan serias? ¿Les ha ocurrido algo?

Pili. Sí. Nos ha ocurrido que de esa habitación ha salido un hombre y se ha marchado por la puerta de la escalera.

Maribel. ¿Estáis locas? ¿Cómo va a salir un hombre de esa habitación?

Doña Paula. Bueno, sí. No tiene importancia... Habrá salido a tomar café, porque el café le gusta mucho. Pero volverá en seguida. *(Y se dirige a la puerta del foro.)* En fin, con el permiso de ustedes, me voy a ir a preparar la merienda. Tú puedes quedarte, Maribel, y así haces compañía a tus amigas...

Maribel. *(Seria, va hacia el foro cuando doña Paula va a salir.)* ¡Oiga, doña Paula!

Don José — su administrador!

DOÑA PAULA. (*Volviendo.*) ¿Qué quieres, hija?

MARIBEL. ¿Quién es ese hombre que han visto mis amigas?

DOÑA PAULA. Es don José, mi administrador. Viene todos los meses y se encierra en ese despacho, en donde me pone los papeles en orden y me lleva las cuentas. Y en cuanto me descuido, se va a la calle a tomar café a un bar de aquí al lado, pero vuelve en seguida. Como tiene llavín, porque es un hombre de toda confianza, entra y sale cuando le da la gana... ¡Y si vierais lo bueno que es! ¡Un bendito! Callado, humilde y trabajador como nadie. Para él sólo existe su trabajo, su mujer y sus hijos.

MARIBEL. (*Seria.*) No me había dicho usted nada de todo eso.

DOÑA PAULA. No creí que te interesase.

PILI. ¡Pero a nosotras nos ha asustado!

DOÑA PAULA. No comprendo cómo puede asustarles a ustedes el que yo tenga un administrador... Bueno, les voy a ir preparando un cóctel... El Manhattan cóctel, que yo lo preparo muy bien... Y de paso estaré al cuidado de Matilde... Pero cómo tarda Marcelino, ¿verdad, Maribel?

MARIBEL. Sí, tarda ya bastante.

DOÑA PAULA. Este chico un día terminará por darnos un disgusto... Hasta ahora mismito, señoritas.

(*Y doña Paula hace mutis por el foro. Maribel, Pili y Niní se sientan preocupadas.*)

NINÍ. ¿Por qué dice que el chico terminará por daros un disgusto?

MARIBEL. (*Cada vez más preocupada.*) No sé: no sé nada. Pero lo más chocante es que no me hayan dicho que en la casa había un hombre.

PILI. ¿No te decía yo que aquí había tomate? Para que te fíes de los inocentes.

MARIBEL. ¿Y qué aspecto tenía?

NINÍ. Un tipo ya mayor, y bastante triste. Y con toda la facha de un fantasma...

PILI. Era así, como muy alto.

Don José

NINÍ. No, hija. ¡Pero si era bajito y encorvado!

PILI. ¡Te digo que era alto!

MARIBEL. Bueno, fuese como fuese, ya habéis oído que es el administrador. Y los administradores los hay de todos los tamaños... Al fin y al cabo, todo es muy natural.

PILI. *(Se levanta indignada.)* Mira, Maribel. Ya está bien de bromas. Si a ti te parece todo natural, allá tú. Pero yo me marcho de esta casa...

NINÍ. ¡Pero no seas loca!

MARIBEL. ¿Por qué vas a irte?

PILI. Porque no quiero verme mezclada en ningún lío, ¿comprendes? Y porque tengo miedo de que te pase algo.

MARIBEL. ¿Pero qué me puede pasar a mí?

PILI. ¿Tú eres tonta o qué? Sabes perfectamente que se han dado casos de chicas como nosotras que se van con hombres y no vuelven a aparecer más por ninguna parte.

NINÍ. Pero eso es porque las retiran.

MARIBEL. O porque se casan, lo mismo que me voy a casar yo. No es la primera vez que sucede. Y tú y yo conocemos a algunas...

PILI. ¿Pero estás segura de que se casaron? ¿Nos invitaron a la boda? No, hija. De pronto llegó un fulano al bar, casi siempre con cara de mosquita muerta, empezó a salir con una de las chicas y un buen día la chica nos dijo que se iba a casar. ¿Pero llegó a casarse? ¡Cualquiera lo sabe!... Porque la cuestión es que después no volvimos a saber más de ella. Ni una postal, ni unas líneas a su mejor amiga. Ahora, según tú dices, este hombre se va a casar contigo y va a llevarte a un pueblo donde tiene una fábrica. ¿Pero sabemos dónde está ese pueblo y esa fábrica?

MARIBEL. Pues claro que sí. La fábrica existe. Y las cajas de chocolatinas con su nombre. *(Le enseña la caja.)* Mírala: «Terrón e Hijo». Y el pueblo también lo pone aquí. Y la provincia. ¿Es que todavía quieres más detalles?

PILI. Bueno, ¿y qué? ¿Es que si tú desapareces va a ir alguien a preguntar por ti a «Terrón e Hijo»? ¿Dejas aquí familia? ¿Dejas a alguien que se vaya a interesar por tu paradero?

NINÍ. En eso tiene razón ésta.

MARIBEL. ¡Pero éste no es un hombre de esos de los que

no se sabe nada! Lo primero que ha hecho es presentarme a
su madre y a su tía. Y al médico. Y la asistenta también me
conoce.

Niní.   En eso tiene razón ésta.

Pili.   ¡Tú, cállate, niña!

Maribel.   ¿Por qué vamos a empeñarnos en pensar mal
de todo el mundo? ¿Por qué no creer que existe gente buena
y normal y que pueda ser feliz? ¿Es que no tengo derecho
a serlo? Y, sobre todo, no creo que porque el administrador
de doña Paula haya salido por la puerta del despacho vaya
yo a deshacer una boda.

Niní.   En eso tiene razón ésa.

Maribel.   Porque todavía si hubiera salido por la pared
o por el piano, podría una asustarse; pero vamos, creo que
ha salido por la puerta. Y para eso están las puertas. Para
que se salga y se entre.

Pili.   Cállate ya y dime una cosa. ¿Vosotros cuándo os
vais a casar?

Maribel.   Él quiere cuanto antes. Los papeles ya están
casi arreglados. Pero nos vamos a casar en el pueblo donde
tiene la fábrica.

Pili.   ¡Ah, vaya!

Maribel.   Y lo hemos retrasado un poco hasta que la
madre se ponga buena.

Pili.   ¡Claro! ¡Ya está!

Niní.   ¿El qué ya está?

Pili.   Que si no llaman a un médico, como sería lo natural, es porque la madre no está mala, sino que lo finge.

Maribel.   ¿A santo de qué?

Pili.   Para retrasar la boda.

Maribel.   ¿Y qué sacan con eso?

Pili.   ¿Cómo que qué sacan? Pues que a lo mejor te dice que le acompañes a la fábrica antes de casarte, para ver
la casa, o para cualquier otra cosa... Y entonces, allí solos,
pues va y...

Maribel.   ¿Pues va y qué?

Pili.   Pues va y te mata.

Maribel.   Pero ¿por qué me va a matar? ¡Mira que es
manía!

Niní. Es verdad, hija. Tú te has empeñado en que se la carguen.

Pili. Porque los hombres matan ahora mucho. Porque están muy sádicos...

Maribel. ¿Pero no comprendes que si me quisiera haber matado no hubiera tenido necesidad de tanta historia? Porque a cualquiera de nosotros nos invita un señor a pasar dos días en el campo, y vamos tan contentas, sin que nos hablen de matrimonio ni nos inviten a chocolatinas en casa de su madre.

Pili. *(Convencida.)* Sí, claro. En eso también tienes razón.

Niní. Pues claro que la tiene.

Maribel. ¿Lo estás viendo? Mira, Pili. Yo te agradezco mucho que te preocupes tanto por mí; pero debes estar tranquila, como lo estoy yo. Y si me quieres, no me amargues la vida cuando empiezo a ser tan dichosa...

(Entra Rufi por el foro con una gran bandeja, en donde lleva unas copas de cóctel. Viene muy contenta.)

Rufi. ¡Simpatiquísima!... Pero vamos, ¿cómo te diría yo?... ¡Que es una señora simpatiquísima! Te doy la enhorabuena, Maribel. Yo en tu caso también estaría encantada. Aquí traigo el cóctel que ha hecho doña Paula, para que yo lo sirva...

Maribel. Yo te ayudaré.

(Y colocan las copas sobre la mesa.)

Rufi. ¡Hay que ver qué gente tan amable, y qué cocinita tan limpia! Y, además, tenías mucha razón. Yo también voy a venir aquí a pasarme las tardes enteras haciendo labor... Y es que se encuentra una tan a gusto, ¿verdad? ¡Como si de repente entrase una en el Cielo!... *(Se bebe, de un trago, una copa del aperitivo.)* Esto está muy rico, ¿sabéis? Ya me he tomado otra en la cocina... ¿Qué os parece?

(Niní y Pili beben.)

NINÍ. Sí que está bueno.

PILI. Demasiada ginebra.

MARIBEL. No beber mucho.

RUFI. No tengas cuidado... ¡Ah! Y ya me ha contado el susto que os ha dado el administrador cuando ha salido del despacho. ¡Pero cuidado que sois tontas! Doña Paula se estaba riendo con todas sus ganas... ¡Mira que asustarse por eso!

PILI. Es que salió así, tan de repente...

(*La puerta de la escalera se ha abierto y ha entrado don José que, después de volver a cerrar, se dirige hacia el despacho. Al pasar dice:*)

DON JOSÉ. Buenas.

TODAS. Buenas...

RUFI. (*Que está de espaldas a don José.*) ¿Quién es?

PILI. El administrador.

DON JOSÉ. Adiós.

RUFI. (*Se vuelve y lo ve cuando don José va a entrar por la puerta de la izquierda.*) ¡Anda! ¡Pero si es Pepe! ¡Pepe!

(*Don José se vuelve extrañado. Ve a Rufi. Y evidentemente la reconoce. Se muestra azorado y confuso, y seguirá así durante toda la escena.*)

DON JOSÉ. ¡Ah! Hola, Rufi... (*Y mira también a las demás.*) ¿Pero qué hace usted aquí?

RUFI. (*Las copas la han alegrado un poquito.*) Oye, guapo... ¿Desde cuándo me hablas tú de usted?

DON JOSÉ. (*En voz baja.*) Perdona; pero es que aquí soy el administrador, ¿sabes?

PILI. Bueno..., eso ya nos lo ha dicho doña Paula.

DON JOSÉ. (*Cada vez más extrañado.*) ¡Ah! ¿Conocen ustedes a doña Paula?

RUFI. Claro, hijo... ¿Qué íbamos a hacer aquí entonces?

DON JOSÉ. Eso me estoy yo preguntando.

RUFI. Pues que hemos venido de visita a tomar una copa... ¿Quieres un cóctel? Está de miedo...

MARIBEL. ¡Vamos, Rufi! ¡Calla!

RUFI. ¿Por qué voy a callarme? ¡Pero si le conozco de toda la vida! Anda, toma.

DON JOSÉ. No, no. Gracias. Acabo de tomar café ahora en un bar de abajo... *(Siempre sin salir de su asombro.)* Entonces, ¿están ustedes aquí de visita, tomando una copa?

NINÍ. Pero hijo, ¿es que usted no nos vio antes, al salir?

DON JOSÉ. Sí; pero no presté mucha atención... Sólo vi que había dos señoritas... Pero ahora veo que hay cuatro. ¿Es que va a venir alguna más?

PILI. No. Por ahora, no.

RUFI. Cuando tú saliste, nosotras estábamos en el dormitorio de doña Matilde.

MARIBEL. ¿Por qué le extraña?

DON JOSÉ. No, no. Por nada.

RUFI. ¡Pero si somos íntimas amigas!

DON JOSÉ. ¡Ah! No sabía...

NINÍ. ¿Y desde ese despacho no oyó usted lo que estábamos hablando?

DON JOSÉ. Estaba trabajando. Oí hablar, pero no presté atención... Como doña Matilde está un poco enferma, pensé que era alguna visita que había venido a interesarse por su estado de salud.

RUFI. Pues éramos nosotras.

DON JOSÉ. ¿Y dónde están ellas ahora? Porque como soy el administrador, no me gustaría que...

RUFI. No te preocupes. Están las dos hermanas en la alcoba... Creo que doña Matilde se quiere levantar un poquito, y doña Paula la está ayudando... Yo le acabo de poner una inyección en un muslito...

DON JOSÉ. ¡Ah!

MARIBEL. ¿Y lleva usted mucho tiempo trabajando aquí?

DON JOSÉ. Unos quince años... Administro los bienes de doña Paula. Y como esta casa es tan seria...

MARIBEL. ¿Y conoce también a doña Matilde?

DON JOSÉ. Naturalmente. Una persona excelente, como todos ellos... Por eso no me explico...

MARIBEL. ¿Y al hijo?

DON JOSÉ. ¡Ah! Don Marcelino es un santo... Muy buena persona... Y muy listo para los negocios... Su fábrica de chocolatinas la lleva divinamente... Y eso que desde que se quedó viudo...

MARIBEL. *(Asombrada, como todas ellas.)* ¿Viudo, dice usted?

DON JOSÉ. Sí, hace unos cinco años... Su mujer también era una santa y de muy buena familia... Se llamaba Susana... Pero la pobre murió muy joven, ahogada en un lago próximo a la fábrica... Un accidente estúpido, según parece... Tengo entendido que ahora va a volverse a casar... Me ha dicho doña Paula que ha conocido a una señorita muy formal y muy buena, de la que está verdaderamente enamorado.

RUFI. *(Queriendo presentar a Maribel.)* Pues la señorita esa es...

MARIBEL. *(Cortando, enérgica.)* ¡Calla, Rufi! ¡Y no bebas más!

RUFI. *(Comprendiendo su indiscreción.)* Perdona.

DON JOSÉ. *(Volviendo a mirarlas a todas.)* Pero lo que yo no entiendo, nenitas...

MARIBEL. No tiene usted que entender nada... ¿No estaba usted trabajando? Pues continúe con lo que estaba haciendo.

DON JOSÉ. Sí, claro... Pero...

MARIBEL. Doña Paula nos ha dicho que para usted sólo existe su trabajo, su mujer y sus hijos... *(A las otras.)* ¿Es verdad o no?

PILI. Sí. Eso ha dicho.

MARIBEL. Pues entonces no pierda el tiempo con nosotras, y váyase a lo suyo...

DON JOSÉ. Será mejor, claro... Ustedes perdonen. Buenas tardes...

RUFI. Adiós, Pepe.

DON JOSÉ. Adiós, Rufi.

(Y don José hace mutis por la puerta de la izquierda, que deja cerrada.)

MARIBEL. *(A Rufi.)* ¿Por qué le llamaste? Ahora dirá quiénes somos. Y has estado a punto de decirle también que yo era la novia.

RUFI.   No sabía bien lo que decía... Pero no debes preocuparte. Por la cuenta que le tiene, no dirá nada.

NINÍ.   Tampoco a él le conviene.

MARIBEL.   Ahora todo puede terminar... Este tipo sabe perfectamente con quién se juega los cuartos.

PILI.   *(Pensativa.)* Y también sabe que Marcelino es viudo. ¿Lo sabías tú?

MARIBEL.   *(Cada vez más preocupada.)* No. No sabía nada. ¿Por qué me lo ha ocultado?

NINÍ.   Y su mujer se ahogó en un lago...

PILI.   Y se llamaba Susana... Como la cotorra...

RUFI.   Eso sí que es raro... ¡Porque mira que ponerle a ese pajarraco el mismo nombre que tenía la ahogada!

PILI.   *(A Maribel.)* ¿Tenía yo razón o no? Y sobre todo, el Marcelino ese, ¿dónde está? ¿Jugando a hacerse el misterioso?

>   *(Igual que en el acto primero, la entrada de Marcelino pilla de sorpresa a las figuras que están en escena y que hablan de espaldas a la puerta del foro. Marcelino ha entrado silenciosamente por la puerta de la escalera y ha cerrado después. Trae una gran caja de cartón debajo del brazo. Cruza el vestíbulo y entra.)*

MARCELINO.   Hola, buenas tardes.

>   *(Maribel, al verle, va hacia él, emocionada. Sus amigas se levantan y quedan a la derecha, en pie, observándole.)*

MARIBEL.   ¡Marcelino!

MARCELINO.   *(Cariñoso y dulce.)* ¿Cómo estás, Maribel? ¿Te ocurre algo?

MARIBEL.   Estaba ya intranquila.

MARCELINO.   ¿Por qué?

MARIBEL.   No sé... Por todo... Por lo que tardabas en volver.

MARCELINO.   He preferido esperar un poco y que me dejaran el coche completamente terminado para no tener que volver al taller mañana... Ahora ya está todo a punto... ¡Ah! Y además he ido de compras, ¿sabes?

(Y le muestra la caja.)

MARIBEL. ¿Qué traes ahí?

MARCELINO. Me he permitido comprarte un vestido, Maribel... Lo he visto en un escaparate y me ha parecido precioso y de muy buen gusto... Y yo espero que de medidas te esté bien.

MARIBEL. Muchas gracias, Marcel... Eres muy bueno.

MARCELINO. Tú sí que eres buena, Maribel.

MARIBEL. *(Por la caja del vestido)* Déjame que lo vea.

MARCELINO. Pero... ¿no me presentas antes a tus amigas?

MARIBEL. Sí, claro... *(A sus amigas.)* Perdonad... Ésta es Rufi, la que ha venido a poner la inyección a tu madre. La que tiene el niño, ¿sabes? Y éstas son Pili y Niní.

MARCELINO. Me alegra mucho conocerlas, señoritas...

RUFI. Lo mismo digo.

NINÍ. Encantada.

PILI. Encantada.

MARCELINO. Le agradezco muchísimo su atención por haberse molestado en venir...

RUFI. No faltaba más. Una está aquí para servirles.

MARCELINO. Tus amigas parecen muy simpáticas y muy amables, Maribel.

RUFI. ¿Verdad que sí?

MARCELINO. *(Sincero.)* Claro...

RUFI. *(A Maribel.)* Para que te vayas dando cuenta, guapita...

MARIBEL. *(Haciendo una seña a sus amigas para que la dején sola con Marcelino.)* ¿No teníais prisa por marcharos?

NINÍ. Sí. Una poca.

MARIBEL. Pues cuando queráis...

PILI. Bueno, pues yo me voy.

NINÍ. Y yo también.

RUFI. *(Mirando a Marcelino, que le ha caído simpático.)* ¿Tan pronto?

PILI. Sí. Es un poco tarde ya.

RUFI. Pero nos tendremos que despedir de la familia, ¿no?

MARIBEL. Ya os despediré yo, no os preocupéis.

(Y va hacia la puerta de la escalera. Niní, Pili y Rufi,
van despidiéndose de Marcelino, que les estrecha la mano.)

NINÍ.   Pues mucho gusto en haberle conocido.

MARCELINO.   Lo mismo digo.

PILI.   Encantada de saludarle.

MARCELINO.   Es usted muy amable.

RUFI.   Pues hasta otro día.

MARCELINO.   Muy agradecido por todo, señoritas.

(Cuando se han despedido, Marcelino pasa al mira-
dor. Y Maribel dice a Rufi, que es la última que hace
mutis.)

MARIBEL.   ¿Qué te ha parecido?

RUFI.   Mañana hablaremos, Maribel.

(Y cuando Rufi ha hecho mutis, Maribel cierra la
puerta y vuelve junto a Marcelino.)

MARCELINO.   Parece que tenías prisa porque se fueran...

MARIBEL.   Es que necesito hablar contigo.

MARCELINO.   ¿De qué?

MARIBEL.   No me habías dicho que eras viudo.

MARCELINO.   ¿No te lo había dicho?

MARIBEL.   ¡Claro que no!

MARCELINO.   ¿Estás segura?

MARIBEL.   ¿Cómo no voy a estarlo?

MARCELINO.   Bueno, en ese caso es que se me habrá olvidado.

MARIBEL.   ¿Y a tu madre y a tu tía se les ha olvidado también?

MARCELINO.   Es muy posible. Pero no creo que esto tenga demasiada importancia, Maribel...

MARIBEL.   ¿Tampoco tiene importancia que tu mujer se ahogase en un lago?

MARCELINO.   *(La mira. Y hace una pausa antes de hablar.)* Quizá por eso no te lo haya dicho. Ni ellas tampoco... ¡Fue todo tan triste y tan inesperado...! Y a ninguno nos gusta hablar de aquello, la verdad... *(Cambia de tono.)* Y menos ahora, que ya todo pasó y vamos olvidándolo gracias a ti... Porque tú has vuelto a llenar la casa de alegría y yo estoy enamorado de nuevo, como si fuera la primera vez.

MARIBEL. ¿Pero es cierto que me quieres? ¡No me engañes, Marcel!

MARCELINO. ¿Cómo puedes dudarlo? No creí que te llegase a querer tanto.

MARIBEL. *(Casi a punto de echarse a llorar.)* ¡Es que yo no comprendo...! ¡Yo no comprendo nada...! ¡Y yo quisiera comprender!

MARCELINO. Estás muy nerviosa, cariño... Te encuentro siempre muy excitada desde el primer día que entraste aquí... ¿Por qué todo esto? ¿No te convendría una temporada de descanso?

MARIBEL. ¡En esa habitación está un hombre! ¡El administrador! ¡Yo no sabía que estaba! ¡Y él ha sido quien me ha dicho que tú eras viudo!

MARCELINO. Es natural. Él está al corriente de toda nuestra vida. Es muy buena persona, además... Ahora voy a entrar a saludarle.

MARIBEL. *(Con miedo.)* ¡No! ¡No entres! ¡No quiero que le veas! ¡No quiero que le hables!

MARCELINO. ¿Pero a qué viene todo esto, Maribel? ¡Ya está bien de tantos nervios y tantas tonterías!

MARIBEL. Sí. Tienes razón. Debes perdonarme.

(Y ahora, por el foro, entra doña Matilde seguida de doña Paula.)

DOÑA MATILDE. ¡Hijo mío! Pero ¿cómo no has entrado a verme?

MARCELINO. ¿Pero te has levantado, mamá?

DOÑA MATILDE. Sí, claro. Me encuentro muchísimo mejor.

DOÑA PAULA. Como no tiene fiebre considero una majadería que esté perdiendo el tiempo en la cama. ¿No te parece, Maribel?

MARIBEL. Sí. Claro que sí.

DOÑA MATILDE. ¿Pero y tus amigas, hija?

MARIBEL. Se han ido ya, y me han encargado que les diga a ustedes adiós... No han querido pasar por no molestarlas.

DOÑA MATILDE. ¿Y esa caja qué es?

MARIBEL. Marcelino me ha traído un regalo.

DOÑA PAULA. ¿Ah, sí?

MARCELINO. Es un vestido.

DOÑA MATILDE. ¡Mira qué bien!

(Y tiene una sonrisa de complicidad con Paula.)

DOÑA PAULA. ¿A ver? ¡Sácalo de la caja!

(Maribel saca el vestido de la caja. Un vestido blanco, de novia. La sorpresa apenas la deja hablar.)

MARIBEL. ¡Pero Marcel!

MARCELINO. ¿Te gusta?

MARIBEL. ¡Un vestido de boda!

DOÑA MATILDE. ¡Te reservábamos esa sorpresa, Maribel!

DOÑA PAULA. Todo lo hemos llevado en el mayor secreto.

MARCELINO. Hace ya unos días que lo tenía encargado.

MARIBEL. ¡Un vestido blanco!

DOÑA PAULA. Es sencillo, ¿sabes? Pero como la boda será en el pueblo, no conviene que sea muy rimbombante.

MARCELINO. ¿Qué te parece a ti?

MARIBEL. No sé qué decir... Estoy emocionada... Y tengo ganas de llorar...

DOÑA MATILDE. ¡Pobrecita!

DOÑA PAULA. ¡Es como una niña pequeña!

MARCELINO. ¿Pero qué te pasa? ¿No notáis que está un poco excitada?

DOÑA PAULA. Sí. Un poquitín quizá.

DOÑA MATILDE. Necesitaba un poco de descanso...

MARCELINO. *(A Maribel.)* Estoy pensando que ya que acaban de repararme el coche, podríamos probarlo haciendo un viaje los dos juntos... Y antes de casarnos pasar unos días en nuestra casa de la fábrica.

MARIBEL. *(Se levanta aterrada.)* Dices... ¿que nos vayamos de viaje antes de casarnos?

MARCELINO. Te sentará bien un cambio de aires, y así podrías ver tú misma las cosas que hacen falta en la casa, para después, al volver, comprarlas en Madrid.

MARIBEL. ¿Al volver?

MARCELINO. ¡Claro!

MARIBEL. Entonces..., ¿quieres que nos vayamos allí los dos solos?

MARCELINO. Sí. ¿Por qué no? ¿Te parece mal?

DOÑA PAULA. Las chicas modernas ahora van solas con sus novios a todas partes.

MARIBEL. *(Mirando con miedo a Marcelino.)* Y sin embargo...

DOÑA MATILDE. Yo estoy segura de que lo vas a pasar muy bien.

DOÑA PAULA. Verás la casa...

MARCELINO. Y verás la fábrica...

MARIBEL. *(Apenas con un hilo de voz.)* Y también veré el lago, ¿no es eso?

MARCELINO. ¿Y por qué no?

(Al referirse al lago, doña Matilde y doña Paula quedan tristes. Pero esta última continúa hablando.)

DOÑA PAULA. A mí me han dicho que es muy hermoso... Y además tiene un bonito nombre. Le llaman «El lago de las niñas malas»...

(Maribel mira a todos, cada vez más inquieta. Y ellos hacen un esfuerzo por sonreír. Y rápidamente cae el

TELÓN

ACTO TERCERO

Gabinete y alcoba en el viejo caserón de la familia «Terrón e Hijo», que está emplazada junto a su fábrica de chocolatinas. En el lateral izquierdo, una gran ventana con visillos que, al descorrerse, dejan ver un forillo de jardín. Bajo la ventana, una mesa que sirve de escritorio; y junto a ella, un viejo sillón. En el paño del foro, a la izquierda, una única puerta, por la que se entra a esta doble pieza. Y a la derecha del foro un gran hueco, con cortinas de encaje, por la que se entra a la alcoba, y en la que vemos parte de la cama y de la mesilla de noche. Se supone que, entrando a la alcoba, a la derecha, hay un posible cuarto de baño. Entre la puerta y la alcoba, un armario ropero. En el lateral derecho sólo hay —aparentemente— una salamandra con su tubo de humos que sale por el techo. Y una cómoda. Cerca de este término, un sofá y una butaca. Sobre la cama, una pequeña maletita, que está abierta, y de la que sobresalen algunas prendas femeninas

Aunque todo está anticuado y viejo, el conjunto no debe resultar ni sombrío ni desagradable, y guardar cierta relación con el piso de la calle de Hortaleza, para no romper el clima de los actos anteriores. Lo que vemos del dormitorio es más bien coquetón y simpático. Y tanto en la alcoba como en el gabinete hay pantallas sobre la mesa, la mesilla de noche, etc., que dan a la escena una luz suave

(Algunas de estas luces están encendidas al levantarse el telón. Sobre todo las de la alcoba. Y en la escena

191

no hay nadie. Se escucha el sonido, muy próximo, de las campanas del reloj de una iglesia. Y por la parte derecha de la alcoba aparece Maribel. Al hombro lleva una toalla y en la mano un cepillo. Y va hacia el gabinete, llega hasta la ventana, levanta un visillo y escucha complacida las campanas que siguen sonando. En seguida dan unos golpecitos en la puerta.)

MARIBEL.   Pasa... *(Y entra* PILI *con un vestido de excursionista. Maribel se vuelve.)* ¡Ah! ¿Eres tú?

PILI.   *(Va hacia la ventana, de donde no se ha apartado Maribel.)* ¿Estás oyendo las campanas?

MARIBEL.   Sí. Resulta muy bonito, ¿verdad?... Más que por las campanas, por el silencio tan grande que queda después... Deben de ser del reloj de la iglesia del pueblo.

PILI.   *(Siempre desconfiada.)* ¿Y por qué tocan las campanas a estas horas?

MARIBEL.   Porque deben ser ya las nueve.

PILI.   No es verdad. Son las nueve y cuarto.

MARIBEL.   Pues tocarán también los cuartos.

PILI.   ¡Déjate de cuartos ni de gaitas! A mí me parece muy raro que toquen tanto las campanas. Algo grave pasa. A lo mejor es que hay catástrofe.

MARIBEL.   ¡Hija, Pili! ¿Vamos a empezar otra vez? ¿Quieres no ponerme nerviosa?

PILI.   ¿Pero es que no puede haber catástrofe?

MARIBEL.   Puede haberla, pero no la hay.

PILI.   Bueno, pues si quieres, me callo.

MARIBEL.   Sí. Si te callas, será mejor.

PILI.   Bueno, muy bien. Ya estoy callada. Y Marcelino, ¿dónde está?

MARIBEL.   Ya nos dijo que iba a su cuarto, a arreglarse un poco. De manera que se estará arreglando y después vendrá, para enseñarnos la casa y dar un paseo.

PILI.   Y llevarnos al lago, ¿verdad?

MARIBEL.   ¡Al lago o a la porra! ¿Quieres callarte ya? ¡Por favor, te lo ruego!

PILI.   Está bien. Lo que quieras. Ya estoy callada. Oye...

MARIBEL.   ¿Qué?

PILI.   Nada.

> *(La puerta del foro vuelve a abrirse y entra Rufi. También va vestida de excursionista. Se dirige a las chicas con aire misterioso.)*

RUFI.   ¡Maribel!

MARIBEL.   ¿Qué?

RUFI.   He oído a Marcelino, que bajaba muy despacito las escaleras.

MARIBEL.   ¿Ah, sí?

RUFI.   Sí.

PILI.   Pero ¿cómo? ¿Es posible?

RUFI.   ¡Como lo oyes! Me he asomado a la barandilla y le he visto bajar, pero muy despacito..., pero muy despacito...

MARIBEL.   Bueno... ¿Pero es que tampoco va a poder bajar despacio por las escaleras?

RUFI.   Yo te digo sólo lo que he visto, para que tengas cuidado. No olvides que si hemos venido aquí ha sido para defenderte.

PILI.   Pero si te molesta, nos lo dices y nos marchamos. ¡Porque, hija, hay que ver cómo te pones en cuanto se te dice algo de tu Marcelino!

MARIBEL.   No me pongo de ninguna manera, pero me molesta, porque creo que estáis exagerando... ¿Ha pasado algo en el viaje? ¿No ha estado con nosotras tan fino y tan simpático? ¿Os ha dicho alguna inconveniencia? ¿Se ha propasado en algún momento?

PILI.   Pues eso es lo chocante.

MARIBEL.   Es un hombre educado, no lo olvides.

RUFI.   A mí lo que me extraña es que si es tan educado, se venga al campo con unas chicas.

PILI.   Nos irá a dar paella.

MARIBEL.   Os ha traído porque vosotras os empeñásteis.

PILI.   No es verdad. No nos empeñamos. Lo que pasa es que cuando fue a buscarte a la pensión, mientras tú ibas a preparar la maleta, nosotras le dijimos que también nos gustaría pasar un día de *camping,* para respirar el oxígeno ese de los montes.

Rufi. Y se lo dijimos, no por el oxígeno, que como comprenderás, ya no está una para esos vicios, sino para no dejarte venir sola con él.

Pili. Y él entonces dijo que encantado, y que no había ningún inconveniente.

Rufi. Y por eso vinimos, nena... Que si no, ¡de cuándo!...

Maribel. Comprenderéis entonces que si me hubiera traído con intención de matarme, hubiera puesto algún pretexto para no traeros también a vosotras.

Rufi. Querrá exterminar la profesión.

Pili. Eso yo no lo creo. Pero puede ser una astucia. La prueba de que se trama algo es que a ti te ha dado esta alcoba y a nosotras nos ha metido en otra, allá lejos, al final del pasillo.

Maribel. Porque ésta es la mejor, y yo soy su novia.

Pili. Y para que desde allí lejos no oigamos los gritos.

Maribel. ¿Qué gritos?

Rufi. Esos que se dan, caramba. Que a veces también pareces tonta.

(*Ahora vuelve a abrirse la puerta y entra Niní, muy emocionada. Viene en combinación.*)

Niní. ¡Maribel!

Maribel. ¿Qué?

Niní. Desde la ventana de nuestro cuarto le he visto salir al jardín.

Pili. ¿Al jardín?

Rufi. ¿Es posible?

Niní. Y desde esta ventana, a lo mejor, le vemos también. Va muy despacio.

Rufi. ¿No te digo? ¿Pero por qué lo hará todo tan despacito?

(*Todas miran desde la ventana.*)

Niní. Mírale.

Maribel. Sí.

Pili. Va andando por el jardín.

Niní. Muy despacito...

RUFI. Y ahora se aleja.

PILI. ¿Y adónde irá ahora?

NINÍ. ¡Yo tengo mucho miedo!

MARIBEL. *(Indignada.)* ¿Pero cómo podéis tener miedo porque salga al jardín y se aleje muy despacito?

PILI. Mira, Maribel. Cuando fuimos a la calle de Hortaleza y nos explicaste tu caso, yo te anuncié que antes de casarte te traería a esta casa de campo con cualquier pretexto. ¿Me equivoqué o no me equivoqué?

MARIBEL. No. No te equivocaste, es verdad. Y después, cuando de pronto él me lo propuso, llegué a tener miedo...

PILI. Y sin embargo, aceptaste.

RUFI. Y por no dar tu brazo a torcer delante de nosotras pensabas venir sola como las reses van al matadero.

NINÍ. ¡Pobrecita!

PILI. ¡Cállate, niña!

MARIBEL. ¡Pero es que en ese momento me acababa de regalar mi vestido de novia! Y la madre y la tía, casi lloraban de emoción... Y todos me miraban dulcemente... Y ellas mismas, tan buenas, fueron las que me animaron a venir.

PILI. Ésas deben de ser dos pajarracas. Porque a su edad y bebiendo Manhattan cóctel...

MARIBEL. No debéis hablar así de unas señoras que os recibieron tan amablemente. Y que si os dieron aquel aperitivo fue pensando que unas chicas modernas lo prefieren al té o al chocolate.

RUFI. Bueno, mira guapita. Si tú tienes disculpas para todo y todo te parece bien, nos podíamos haber ahorrado la molestia de haber venido. Porque no sé si lo sabrás, pero por venir a acompañarte he perdido una cita con un señor que me iba a llevar a pasar dos días a un parador de la Sierra...

NINÍ. ¡Hijas! ¡Que no presumís poco con vuestros señores! Como si una sólo saliera con el gato.

PILI. Tú, cállate, niña, y mira por ahí a ver si viene el silencioso.

MARIBEL. Dime una cosa, Rufi... A ti te parece mal y raro y peligroso que mi novio me traiga a su casa. Y en cambio no te da miedo que un señor casi desconocido te lleve a pasar dos días a un parador de la Sierra...

RUFI. Pues claro que no. Porque ese señor no me ha dicho que se va a casar conmigo.

MARIBEL. Entonces, según tú, lo peligroso de Marcelino es que me haya dicho que se va a casar.

PILI. Pues naturalmente. Un señor que propone eso es siempre peligroso.

MARIBEL. ¿Por qué?

RUFI. Porque puede ser un anormal. Una persona sana, que va de buena fe, no propone esas cosas raras.

PILI. Lo que te pasa a ti es que tienes la mentalidad deformada.

NINÍ. No se lo proponen a las chicas decentes, de modo que figúrate a nosotras. ¡Ja, ja!

MARIBEL. Yo no soy como vosotras...

RUFI. ¡Oye, guapa!

PILI. ¡Atiza! ¡Otra vez se le subió el pavo!

MARIBEL. Perdonarme, pero no sé lo que me digo.

RUFI. A ti lo que te pasa es que estás enamorada de Marcelino. Confiésalo.

MARIBEL. ¡Pues sí! ¿Qué pasa? ¿Es que no tengo derecho a enamorarme? ¿Y él? ¿Es que no puede enamorarse también de mí?

PILI. Total. Que éste te mata y lo pasas divinamente.

MARIBEL. ¿Para eso habéis venido? ¿Para amargarme? ¿Para entristecerme?

PILI. Hemos venido para que no te pase nada, porque te queremos. Porque sabemos que eres buena...

RUFI. Pero tienes muchos pájaros en la cabeza y eres demasiado decente.

MARIBEL. Ser decente no es pecado.

PILI. Pero siempre es mal negocio.

NINÍ. *(Que está mirando por la ventana.)* ¡Callar! ¡Viene hacia la casa!

PILI. ¿Viene?

NINÍ. Sí. Se dirige hacia la izquierda. Pero no... Ahora tuerce a la derecha.

RUFI. ¿No te digo? Ya cambió de opinión.

MARIBEL. ¿Pero también os parece mal que vaya por la derecha o por la izquierda?

PILI.   Sí. Porque la entrada de la casa está a la izquierda. Y a la derecha la de la fábrica… Que yo me he fijado muy bien.

MARIBEL.   Es mejor que os marchéis. Porque a lo mejor viene aquí para hablar conmigo. Y yo quisiera hablar con él.

PILI.   ¿De qué?

MARIBEL.   De muchas cosas. Estoy decidida a saber todo lo que me oculta, y a confesarle todo lo que yo le estoy ocultando a él…

RUFI.   No debes hacer eso. También es peligroso.

NINÍ.   Y a lo mejor se lleva un disgusto.

MARIBEL.   ¿Qué voy a hacer entonces?

PILI.   Espera que él se explique. Lo que sea sonará. Y nosotras estaremos al cuidado.

NINÍ.   Yo puedo esconderme en este armario.

RUFI.   Tú, cállate, niña. Y no digas más tonterías.

PILI.   Lo que haremos será entrar de vez en cuando con cualquier pretexto.

MARIBEL.   Pero hacerlo con disimulo. Que él no note que estamos asustadas. Tengo miedo de que se enfade.

PILI.   De que se enfade y de todo, Maribel. Porque tú tienes tanto miedo como nosotras. Lo que pasa es que tratas de disimularlo. ¿Es verdad o no?

(Se oyen unos golpecitos.)

MARIBEL.   Sí, adelante.

(Niní va a abrir la puerta del foro. La abre y no hay nadie.)

NINÍ.   ¡Aquí no hay nadie!

PILI.   ¿Quién ha llamado entonces?

(Todas están mirando hacia la puerta del foro. Pero en el paño de la derecha, donde aparentemente no hay nada, existe otra puerta forrada con el mismo papel con que está empapelada la habitación. Y por esta puerta entra Marcelino, sonriente.)

MARCELINO.   Hola.

(Todos se vuelven asustados.)

RUFI. ¡Mira!

MARIBEL. ¿Tú?

MARCELINO. ¿Qué os sucede?

PILI. No. Nada.

MARIBEL. No sabíamos que había esa puerta.

MARCELINO. Sí. Comunica directamente con la fábrica. Y como he pasado por la fábrica para ver si había correspondencia, pues entré por ahí que es más cómodo.

RUFI. Claro, ya...

MARCELINO. Siento que se hayan asustado.

RUFI. No, por Dios. En absoluto.

MARCELINO. Pensé que sólo estaría Maribel.

PILI. Pues ya ve. Estamos las cuatro.

MARCELINO. Sí. Ya lo veo.

NINÍ. ¿Y de dónde viene usted ahora? ¿De su cuarto?

MARCELINO. No. He ido a decirle a los guardas que nos preparen un poco de cena.

PILI. ¿Quiénes son los guardas?

MARCELINO. Los que nos han abierto la puerta cuando hemos llegado. La guardesa es la cocinera, y él es el criado y jardinero y todas esas cosas.

RUFI. ¿Y dónde están los guardeses? ¿En la cocina o subidos a un árbol?

MARCELINO. ¿A un árbol? ¿Por qué?

PILI. ¡Como le hemos visto que ha salido al jardín...!

MARCELINO. He salido para encerrar el coche.

PILI. ¡Ah!

MARCELINO. Como no había nada preparado y la cena todavía tardará, podemos antes dar una vuelta por ahí... Si quieren ustedes terminar de arreglarse...

MARIBEL. Sí, hija, Niní. Ponte ya un vestidito.

NINÍ. ¡Ay, es verdad! Que se me había olvidado...

(Y hace mutis por el foro.)

MARIBEL. Vosotras también os podéis marchar.

PILI. Bueno, sí. Pues hasta ahora.

(Y hace mutis.)

RUFI.   Bueno. Pues hasta ahora mismito.

(Y también hace mutis, dejando la puerta abierta, que Marcelino cierra.)

MARCELINO.   ¿Por qué están tus amigas tan asustadas?

MARIBEL.   No sé. Por lo visto esta casa las impresiona un poco.

MARCELINO.   Sí. Indudablemente no es muy alegre. Pero de todos modos me molesta que estén así conmigo, como si les fuera a hacer algo malo... Si he de serte franco, no me gusta que tengas esta clase de amigas.

MARIBEL.   ¿Por qué?

MARCELINO.   No sé. Perdóname, pero no me parecen unas chicas demasiado serias.

MARIBEL.   ¿Las encuentras diferentes a mí?

MARCELINO.   ¿Cómo puedes preguntar eso? Tú eres otra cosa.

MARIBEL.   Entonces... ¿soy distinta? ¿Parezco distinta?

MARCELINO.   Tú pareces un ángel, Maribel. Y lo eres. ¿Qué dices tú?

MARIBEL.   Que ahora pienso que sí; que lo soy. Pero es porque tú me lo dices. Y cuantas más veces me lo digas, más me lo creeré. Y llegaré a serlo.

MARCELINO.   *(Con tono de contar un cuento.)* Había en este pueblo una mujer muy fea, muy fea, y el marido la quería mucho y la encontraba guapa. Y se lo decía siempre: «Eres muy guapa, eres muy guapa.» Y ella se lo creyó y lo llegó a ser. Y se convirtió en una mujer bella que todos admiraban.

MARIBEL.   *(Ingenuamente interesada.)* ¿Y qué pasó?

MARCELINO.   Que entonces le engañó con otro.

MARIBEL.   *(Con desilusión.)* ¡No!

MARCELINO.   *(Se ríe.)* ¡Era una broma! Pasó que fueron muy felices... Porque ya sabes que uno no es como piensa que es, sino como le ven los demás.

MARIBEL.   Según eso...

(Marcelino, que estaba sentado junto a ella, se le-
vanta tratando de cambiar de conversación.)

MARCELINO.   ¿Te gusta la casa?

MARIBEL.   *(Desconcertada.)* Sí. Mucho.

MARCELINO.   Ahora, de noche, resulta un poco triste.
Pero mañana nos levantaremos temprano y ya verás qué
sol y qué alegría… ¿Y esta habitación, qué te parece?

MARIBEL.   Muy hermosa.

MARCELINO.   Al principio fue de mis padres. Después,
al morir papá, fue sólo de mi madre. Y más tarde, cuando
me casé, la ocupamos Susana y yo. Pero cuando Susana
se ahogó en el lago, me volví a la pequeña habitación de
soltero, que tenía antes, y que está al final del pasillo. Y en
este cuarto ya nunca entró nadie. Pero ahora lo volveremos
a ocupar nosotros cuando nos casemos.

MARIBEL.   *(Con miedo y tristeza.)* ¿Hasta que yo me
ahogue?

MARCELINO.   *(Asombrado.)* ¿Y por qué te vas a aho-
gar? ¿Por qué dices eso?

MARIBEL.   No sé… Lo he pensado de pronto.

MARCELINO.   Pues no debes pensarlo, Maribel. Ni debes volver a repetirlo…

(Se abre la puerta del foro y entra Rufi.)

RUFI.   ¿Se puede? Maribel, nena, perdona, hija… Venía
a ver si tenías un poco de polvos de la cara, porque con el
aire que entraba por la ventanilla del coche se me ha pelado
un poco la punta de la nariz.

MARIBEL.   Sí, creo que los tengo aquí en la maleta.

(Y pasa a la alcoba y busca en la maleta. Marcelino
se ha levantado del sofá, un poco molesto por la llegada
de Rufi y va hacia la ventana. Rufi aprovecha para ha-
blar en voz baja con Maribel.)

RUFI.   ¿Te está haciendo algo malo?

MARIBEL.   No.

RUFI. Si te lo hace, grita.
MARIBEL. Sí...

(Y Rufi habla ya en voz alta.)

RUFI. Hija, siempre llevas de todo. Cuidado que eres ordenadita, hay que ver... Desde luego vas a hacer una esposa modelo. Y aquí don Marcelino también, porque es muy majo.

MARCELINO. Gracias.

RUFI. No las merece.

MARIBEL. Aquí tienes los polvos.

RUFI. Bueno, gracias. Si necesito algo más ya vendré a pedírtelo.

MARIBEL. Como quieras.

RUFI. Bueno. Pues voy a ver si me arreglo y me pongo un poquito decente. En lo que cabe, ¿eh? Hasta lueguito.

MARCELINO. Adiós, muy buenas. *(Rufi hace mutis y deja la puerta abierta. Marcelino la cierra.)* ¿Sabes que tu amiga está un poco pesada?

MARIBEL. No debes hacerle caso. Es su carácter.

MARCELINO. ¿Qué es lo que creen? ¿Que quiero aprovecharme de ti?

MARIBEL. No. No es eso.

MARCELINO. Entonces, ¿qué? ¿Que te quiero matar, tal vez?

MARIBEL. *(Y va, suplicante, junto a él.)* Y tú no quieres matarme, ¿verdad?

MARCELINO. ¿Pero cómo puedes decir eso? ¿Y cómo pueden pensarlo siquiera tus amigas? Ahora comprendo por qué insistieron tanto en venir... Si vieras lo que me duele todo esto, Maribel... Y si vieras lo que me preocupa... Si mamá llegara a enterarse...

MARIBEL. ¿Qué tiene que ver tu madre con esto?

MARCELINO. Es muy desagradable que piensen mal de mí.

MARIBEL. Pero tienes que disculparlas. Son mis amigas y me quieren. ¡Y se han llevado tantos chascos en su vida y tantos desengaños, que desconfían de todo el mundo! Yo, en cambio, no. Creo en la gente. Y creo en mí. En mi

suerte. No es que nunca haya tenido mucha, pero me basta
con la que tengo... Y también creo en ti... Aunque a veces...
Dime una cosa. ¿Cómo era Susana?

MARCELINO.   Una señorita de aquí, de este mismo pueblo... Muy buena.

MARIBEL.   ¿Guapa?

MARCELINO.   Sí.

MARIBEL.   ¿La querías?

MARCELINO.   Mucho.

MARIBEL.   ¿Cómo se ahogó?

(Se abre la puerta y aparece Niní.)

NINÍ.   Perdonad que os interrumpa. Pero como me ha
dicho Rufi que en la maleta tienes de todo, venía a ver si
me dabas una aspirina, unas tijeras y Nescafé.

MARIBEL.   De eso no tengo nada, ¿sabes? Y si después
que tú va a venir Pili, dile que no se tome la molestia.

NINÍ.   No, Pili se está arreglando. Como aquí, el señor,
nos ha dicho que vamos a dar una vuelta antes de cenar,
se está poniendo guapa por si acaso.

MARIBEL.   ¿Por si acaso, qué?

NINÍ.   No sé. Ella, siempre que se arregla, dice que por
si acaso... Bueno, hasta después.

(Y hace mutis.)

MARIBEL.   Debes perdonarlas.

MARCELINO.   Sí, Maribel.

MARIBEL.   Y seguir contándome...

MARCELINO.   ¿No te importa que eche el pestillo de la
puerta?

MARIBEL.   No.

MARCELINO.   Así no nos molestarán.

(Y echa el pestillo.)

MARIBEL.   Sí. Es mejor.

MARCELINO.   ¿Qué querías saber?

MARIBEL. Todo. Lo de Susana. Lo del lago. Lo de la cotorra.

MARCELINO. ¿Qué es lo de la cotorra?

MARIBEL. ¿Por qué se llama *Susana*, como tu mujer?

MARCELINO. Porque la cotorra era de Susana, que quería mucho a mi tía Paula. Y un día se la regaló y le dijo: «Te la regalo con la condición de que la llames *Susana*, como me llamo yo, para que así siempre te acuerdes de mí.» Y mi tía Paula la llamó *Susana*. ¿Tiene esto algo de particular?

MARIBEL. No, claro, pero...

MARCELINO. Hay barcas de pesca que se llaman *Margarita*, *Nieves*, *Rosalía*, igual que las mujeres o las hijas de los pescadores. Mi tía no tiene barcas y sólo tiene una cotorra. Y la quiere. Y lleva el nombre de una persona que quería.

MARIBEL. Yo pensé que le puso ese nombre por todo lo contrario. Por venganza... Porque aborrecía a tu mujer.

MARCELINO. ¡Pobre tía Paula! Aborrecer ella a Susana... ¡Y Susana ser aborrecida!... ¿Por qué ese afán de pensar mal de todo? ¿De querer descubrir, aun en lo más sencillo y simple, un secreto, un pecado...? ¿Tú no comprendes entonces que en el mundo pueda haber gente buena?

MARIBEL. Sí. Pero es raro, ¿no?

MARCELINO. ¿Y gente inocente?

MARIBEL. Sí. Puede ser.

MARCELINO. ¿Y gente sencilla, sin malicia, que va de buena fe?

MARIBEL. Yo creo que sí. Lo he pensado siempre... Pero después vienen las amigas y te empiezan a decir cosas, y te lo chafan todo... Y la poca ilusión que a una le queda, se le va para siempre.

MARCELINO. ¿Tú sabes por qué mi tía Paula alquila visitas para distraerse y poder hablar?

MARIBEL. No. No lo sé.

MARCELINO. Porque las amigas que tenía dejaron de visitarla.

MARIBEL. ¿Porque las desilusionaba, a lo mejor?

MARCELINO. Al contrario. Porque a cada amiga que iba le daba veinte duros.

MARIBEL. Bueno, hijo, es que eso no es normal.

MARCELINO. Las amigas de mi tía eran gentes de barrio, modestas, que tenían apuros, enfermedades y desgracias. Que se quejaban siempre de lo cara que está la vida. Entonces, la tía Paula se conmovía, se echaba a llorar y, disimuladamente, les metía veinte duros en el bolsillo. Este dinero a unas las humillaba, y a otras, en cambio, les parecía poco. Y terminaron por decir que estaba loca. Y mi tía se quedó sola con sus pájaros en el mirador; y para que fuese alguien tuvo que poner anuncios en los periódicos y darles un sueldo. Y lo que por bondad no se admitía, se admite y se comprende ahora como gratificación.

MARIBEL. Es buena la tía Paula, ¿verdad?

MARCELINO. ¿Buena? Mira, nunca quiere decirlo y a veces se burla de ella misma para disimular, y hasta inventa pretextos ridículos... Pero si no sale a la calle hace tantos años es porque se lo prometió a su marido, al que adoraba, cuando éste murió. Y lo ha cumplido.

MARIBEL. (Emocionada.) Vas a hacerme llorar.

MARCELINO. No te importe. Eso es bueno.

MARIBEL. Y tu mujer, Susana, ¿cómo se ahogó?...

MARCELINO. ¡Porque la pobre estaba tan gorda!...

MARIBEL. ¿Qué tiene eso que ver?

MARCELINO. Ése fue uno de los motivos. Sin que ninguno de nosotros lo supiéramos, Susana decidió aprender a nadar en el lago, como lo hacen las chicas modernas en las piscinas. Y una tarde se fue sola al lago, se metió en el agua y se ahogó. El lago es peligroso, ¿sabes? En el pueblo le llaman «El lago de las niñas malas», para que las niñas no vayan a él. Y ella fue. No tenía agilidad. Pesaba mucho... Y ocurrió la desgracia... Pero yo sé muy bien que todo lo hizo por mí.

MARIBEL. ¿Por ti? No comprendo.

MARCELINO. Yo soy una persona ridícula, Maribel. No he tenido amigos ni apenas he salido de casa. Tuve fracasos en mis pequeñas aventuras amorosas. Me casé muy joven y Susana era como yo, como mi madre, como mi tía. Una provinciana, una paletita sin malicia. Mi tía, desde Madrid, nos animaba: «Salir, viajar, distraeros, cambiar de ambiente... No podéis estar ahí siempre metidos...» Mamá y Susana, equivocadamente, creían que yo me aburría aquí con ellas, y también me animaban. Y entre las dos decidieron que hiciésemos un viaje al mar, que nunca habíamos visto... «Nos bañaremos juntos, en la playa; nos broncearemos al sol; tenemos que acostumbrarnos a la vida moderna», dijo un día Susana. Y en su primer intento de meterse en el agua, se ahogó la pobrecita. Yo quedé destrozado. Esta casa aún nos pareció más triste de lo que era. Decidieron que yo me debía volver a casar con una chica de Madrid, moderna, alegre, que me distrajera y me hiciera cambiar un poco de vida. Yo también creí esto necesario. Por mí y por ellas. Y sabiendo mi cortedad, trataron de ayudarme, y mi tía compró música de *jazz*, que la horrorizá, y aprendió a hacer *gin-fizz* para estar a la moda. Y yo me eché a la calle para buscar novia, temiendo que nadie me hiciera caso. Que las chicas se aburrirían conmigo. Y entré en un bar y te vi a ti. Y tú me sonreíste. Y ya no busqué más. Eras tú la novia que buscaba. (*Maribel está callada. Pensativa. Emocionada.*) ¿Qué te pasa?

MARIBEL.   ¿Y si yo te dijera que no soy la novia que mereces?

MARCELINO.   ¿Por qué?

MARIBEL.   No sabes nada de mí.

MARCELINO.   Según tus papeles, te llamas María Isabel González, hija de Ambrosio y de Guadalupe, mayor de edad, natural de Lanzarote, avecindada en Madrid, en una pensión de la calle del Pez, y de profesión costurera. ¿No es suficiente?

MARIBEL.   No.

MARCELINO.   ¿Por qué?

MARIBEL.   Porque si voy a casarme contigo y vamos a vivir aquí los dos juntos con tu madre, o con tu tía en Madrid, es necesario que sepas más cosas. Que lo sepas todo. Y no sólo de mí, sino de mi manera de vivir, de mi ambiente, de mis amigas...

MARCELINO.   Ya sé que Rufi tiene un niño muy mono y está casada con un ingeniero. Y que Niní, en latín, ha sacado sobresaliente.

MARIBEL. ¿Y tú lo crees?

MARCELINO. ¿Por qué no voy a creerlo? ¿Por qué no creer tampoco que tú eres costurera?

MARIBEL. Lo fui al principio, pero después...

MARCELINO. Después, un día, entraste en un bar y me conociste a mí. Y ésa es toda tu historia. ¿No es verdad, Maribel?

MARIBEL. (*Nerviosa, acongojada.*) Tú no quieres que yo te cuente nada, ¿verdad? ¡Tratas de evitarlo! ¿Por qué?

MARCELINO. Hemos venido aquí para que descanses y se calmen tus nervios... ¿Vamos a volver a empezar de nuevo?

MARIBEL. ¡Pero Marcelino!... ¡Escucha lo que voy a decirte!

(*En la puerta del foro se oyen unos golpes que dan con la mano y la voz de Rufi que grita.*)

RUFI ¡Maribel!

MARIBEL. ¡Déjame en paz!

RUFI. ¡Maribel, abre!

MARIBEL. ¡Esperad un poco!

RUFI. ¡Abre, Maribel!

MARIBEL. ¡No me da la gana de abrir!

MARCELINO. ¡Pero Maribel!...

RUFI. ¡Si no es que tengamos miedo de don Marcelino! ¡Es que lo están llamando al teléfono!

MARCELINO. ¡Ah! ¡Déjame que abra! Debe ser algún asunto de la fábrica.

(*Y abre la puerta y entra Rufi, ya arreglada del todo. Se muestra dócil y seriecita y mira a Marcelino con cierta admiración y simpatía.*)

RUFI. Hola, don Marcelino.

MARCELINO. Hola, Rufi.

RUFI. Estábamos en la cocina con la cocinera y le llamaron al teléfono de la conserjería. Entonces yo subí a avisarle.

MARCELINO. Gracias.
RUFI. De nada.
MARCELINO. Vuelvo en seguida, Maribel...

(*Y hace mutis. Maribel está sentada en el sillón, pensativa y contrariada por la interrupción. Rufi también se sienta en el sofá.*)

RUFI. Hola, Maribel.
MARIBEL. Hola.
RUFI. Y perdona.
MARIBEL. Sí.

(*Entra Pili, también arreglada, y lo mismo que Rufi, sumisa y con un aire bondadoso. Se sienta junto a Rufi.*)

PILI. Hola, Maribel.
MARIBEL. Hola.

(*Y ahora entra Niní, igual. Se sienta junto a Pili.*)

NINÍ. Hola, Maribel.
MARIBEL. (*Extrañada por el tono de sus amigas.*) ¿A qué viene tanto hola? ¿Me queréis explicar?
NINÍ. No. A nada. Perdona.
MARIBEL. (*Al verlas tan seriecitas.*) Pero ¿qué os pasa? ¿Sucede algo?
PILI. No. A nosotras, nada.
RUFI. ¿Y a ti?
MARIBEL. A mí me sucede que he hablado con Marcelino y ahora estoy segura de que es bueno y de que me quiere de verdad y de que yo también le quiero a él. Pero de lo que no estoy segura, en cambio, es de si sabe quién soy yo o no lo sabe. Porque cuando intento decírselo se escabulle y cambia de conversación... Pero lo sepa o no lo sepa, yo tengo que decírselo; yo misma. Y él lo tiene que oír.
RUFI. No debes darle un disgusto así a una persona tan buenísima.

PILI. Y no sólo por él, sino por su pobrecita mamá.

NINÍ. Y por su tiíta.

MARIBEL. ¿Por qué pensáis ahora de ese modo? ¿No me decíais antes que eran una partida de locos?

RUFI. Es que nos hemos ido a la cocina para sonsacar a la cocinera y nos lo ha contado todo...

PILI. Y es que para enterarse de lo que pasa en el seno de una familia no hay nada como la cocina.

MARIBEL. ¿Qué os ha dicho? ¿Lo del lago, lo de Susana?...

RUFI. Todo. Empezó el relato desde que Marcelino tenía cuatro años.

PILI. Y como habla tan de prisa, le ha cundido mucho y hemos llegado a la época actual.

NINÍ. ¡Pero qué gente más buenísima, joroba!

PILI. ¡Mira que lo de la puerta!

MARIBEL. ¿Qué puerta?

PILI. Esta puerta secreta que nos dio tanto miedo cuando apareció tu Marcelino.

RUFI. ¿Sabes quién la hizo?

MARIBEL. ¿Quién?

RUFI. Doña Matilde. Entre ella, un albañil y un carpintero la hicieron en un día.

PILI. Pero fue ella quien puso las bisagras...

NINÍ. Y el pestillo.

MARIBEL. ¿Por qué?

RUFI. Pues porque el pobre de su marido se acatarraba a cada momento. Y como para ir a la fábrica tenía que salir de la casa y dar la vuelta por el jardín, un día de esos de crudo invierno ella decidió hacer una puerta de comunicación para que no se acatarrase. Y como el carpintero se le puso malo en plena faena, ella terminó de rematarla.

PILI. Tú dile a una esposa de las de ahora que te haga una puerta con sus bisagras y su pestillo, y el suceso sale en los periódicos...

NINÍ. Y no es eso lo peor. Es que si te la hace, después no encaja bien.

MARIBEL. ¿Y qué más os ha dicho?

PILI. Las obras de caridad que están haciendo constantemente. Pero en el mayor anonimato... Así, como a lo tonto...

RUFI.   Y que la mitad del chocolate se lo regalan a los pobres.

NINÍ.   Y que todos están deseando que te vengas a vivir aquí. Los guardeses también.

RUFI.   Y a nosotras nos ha dicho que vengamos de visita de vez en cuando, porque somos muy simpáticas y muy dicharacheras...

PILI.   Y también creen que somos chicas modernistas, que hemos venido de *week-end*, y están encantadas, porque dicen que a esta casa lo que le hace falta es mucho *week-end*.

MARIBEL.   ¿Y vosotras os creéis que podemos seguirles engañando?

RUFI.   *(Conmovida.)* Sí, claro. Por un lado, está feo. Da así como vergüenza.

NINÍ.   Pero tú has dicho que no estás segura de si él lo sabe o no. Y si no te pregunta nada, a lo mejor es que es tan bueno que las cosas pasadas no le importan.

PILI.   Que, al fin y al cabo, es como debían ser todos los hombres y no andar fisgando en cosas que se las llevó el viento, y de las que una misma ni se acuerda...

NINÍ.   *(Que está cerca de la puerta.)* Callar. Me parece que sube las escaleras.

RUFI.   ¿Muy despacito?

NINÍ.   No, no. De prisa.

(Y entra Marcelino, un poco serio, deprimido.)

MARCELINO.   Perdona, Maribel. Y ustedes también señoritas... Tengo que salir.

MARIBEL.   ¿Salir? ¿Adónde?

MARCELINO.   Voy a ir hasta la entrada del pueblo.

MARIBEL.   ¿Pero qué ocurre?

MARCELINO.   Me acaba de llamar desde Madrid el administrador de la tía Paula.

RUFI.   ¿Pepe?

MARCELINO.   ¿Conoce usted a don José?

RUFI. Bueno, conocerle, no. Pero me habían dicho...

MARIBEL. *(Interrumpiendo.)* ¡Calla! ¿Y para qué te ha llamado?

MARCELINO. Para decirme que mi madre y mi tía han tomado un taxi y vienen aquí.

MARIBEL. ¿Que vienen aquí? ¿A esta casa?

MARCELINO. Sí.

MARIBEL. Es muy raro, ¿verdad?

MARCELINO. Sí. Y, además, no me ha dado más explicaciones. Dice que le encargaron que me telefonease en seguida, para que estuviese prevenido, pero que le han tardado mucho en dar la conferencia. Y ya deben de estar llegando, porque, según él, salieron de Madrid hace unas dos horas... Lo que más me extraña es que también venga tía Paula. Cincuenta años sin salir de su casa y ahora atreverse a tomar un taxi para venir aquí... ¿Qué puede haber pasado para que se lancen de repente a hacer este viaje?... Esperaremos que vengan ellas para cenar, ¿no les parece? *(Las chicas están taciturnas y no hablan.)* Por cierto, Maribel, que cuando vean a tus amigas se van a llevar una sorpresa. Como creían que veníamos solos y fue a última hora cuando decidieron acompañarte... Voy a ir a la entrada del pueblo para esperarlas... Vosotras, mientras tanto, podéis dar una vuelta por el jardín o por donde quieran... No tengo que volver a repetiros que estáis en vuestra casa... Me perdonan, ¿verdad?

(Y hace mutis. Todas siguen sin hablar, taciturnas y mirando al suelo. Al fin habla Rufi.)

RUFI. ¡Pepe lo contó todo!

PILI. ¡El miserable!

NINÍ. ¡Y ahora vendrán aquí a armar la gorda!

RUFI. ¡Y pensar que yo he tenido la culpa! ¿Por qué se me ocurrió llamarle cuando entró en aquel despacho? ¡Con lo feo que es el condenado, además!

PILI. ¿Qué piensas tú, Maribel?

MARIBEL. Que sí. Que tenéis razón. Y que sólo puede ser eso. Que el administrador les ha dicho quiénes sois vo-

sotras y, sobre todo, quién soy yo. Y vienen a echarme a
la calle.

RUFI. ¡Pues fíjate cuando nos vean aquí contigo!...

PILI. ¡Hace falta tener poca vergüenza para irles con
un chisme así! ¡Y después dicen que no piense una mal
de la gente! ¡Pero si por un hombre bueno que hay, a los
demás había que degollarlos!

RUFI. ¡Pero cuando yo me lo encuentre! ¡La bofetada
que le voy a pegar!...

PILI. Ahora que a mí no me echan. Yo me voy, Maribel. ¿No te parece?

MARIBEL. Sí. Creo que es lo mejor.

NINÍ. Y yo también.

RUFI. Pero este pueblo está muy lejos. ¿En dónde nos
vamos a ir?

NINÍ. Podemos aprovechar el mismo taxi en que vienen ellas.

PILI. O si no, haciendo el *auto-stop*. La cuestión es lar-
garse. Porque, en el fondo, tendrán razón en todo lo que
digan y en ponernos la cara colorada.

NINÍ. *(Conmovida.)* ¿Tú qué vas a hacer, Maribel?

MARIBEL. Todavía no lo tengo decidido.

PILI. Mientras lo decides, yo voy a preparar mis cosas.

NINÍ. Y yo las mías.

RUFI. Recoger lo mío también, que voy en seguida.

(Y Pili y Niní hacen mutis.)

MARIBEL. No sé qué hacer, Rufi. Si escapar también
con vosotras o afrontarlo todo. ¿Qué me aconsejas tú?

RUFI. Es tan difícil aconsejar una cosa así... Desde luego tu situación no es muy agradable que digamos... Claro
que también depende de en el plan que vengan. Porque
si son tan buenas como dicen, a lo mejor te lo largan todo
con suavidad y buenos modales... ¡Pero si se ponen fa-
rrucas!

MARIBEL. ¿Y si nos equivocamos de nuevo, como nos
pasó con Marcelino? Porque también antes pensabais mal
de él, igual que ahora pensamos mal de ellas y del

administrador. Y puede ser que don José no les haya dicho
nada, y que ellas vengan aquí a otra cosa distinta. Marcelino me ha dicho que no debemos pensar mal de la gente.
Pero lo que pasa es que tenemos miedo, porque no tenemos la conciencia tranquila. ¡Y yo no quisiera ser así!

RUFI. Si tú quieres quedarte, puedes hacerlo, Maribel.
Pero yo, desde luego, me marcho. Porque si el mismo Marcelino está extrañado de que su madre y su tía hayan tomado un taxi de repente para plantarse aquí, no sé cómo
no vamos a extrañarnos nosotras, tengamos la conciencia
como la tengamos.

MARIBEL. Tienes razón, Rufi. Voy a guardar mis cosas. Anda, ayúdame...

*(Maribel y Rufi guardan algunas prendas en el ma-
letín de Maribel, mientras siguen hablando.)*

RUFI. Yo comprendo que para ti la papeleta se las trae.
Y que ahora te duela más que nunca romper con todo esto...
Figúrate; si es a mí, y me da pena... Pero hija, cuando una
es como es, tiene que romper con tantas cosas...

MARIBEL. Sí, Rufi. Es verdad.

RUFI. *(Por lo que han guardado.)* ¿No te olvidas de
nada?

MARIBEL. No. Ya está todo.

RUFI. Pues vamos a cerrar.

MARIBEL. Pero puede ser que después vaya a buscarme al bar donde me encontró, ¿no te parece?... Aunque
sea en otro plan, claro.

RUFI. Pues sí. A lo mejor va. Él parece quererte.

MARIBEL. Y yo podré tener con él una explicación. Y con-
tarle todo...

RUFI. Desde luego.

*(Entra Pili, seguida de Niní. Llevan su pequeño equi-
paje y el de Rufi.)*

PILI. Ha llegado ya el taxi al jardín. Y van a entrar...
Toma lo tuyo, Rufi.

RUFI. ¿Cómo salimos entonces?

NINÍ. Si vamos por ahí, nos encontramos con ellos.

PILI. ¿Y por qué no salimos por esa puerta? Da a la fábrica. Y la fábrica tiene otra puerta que da al jardín... Y antes estaba abierta.

NINÍ. ¡Ya se les oye abajo!

PILI. *(Va hacia la puerta secreta y la abre.)* Vamos, seguidme.

NINÍ. Sí, vamos.

> *(Y hace mutis detrás de Pili. Maribel, con su maletita en la mano, está indecisa.)*

RUFI. *(Desde la puerta.)* ¿Te decides o no, Maribel?

MARIBEL. Sí. Es mejor. Vamos...

> *(Rufi la deja pasar primero. Después sale y cierra la puerta. Inmediatamente se oye la voz de Marcelino por el foro.)*

MARCELINO. ¡Maribel! ¡Maribel! *(Y entra Marcelino. Al no verla, se dirige a la alcoba.)* ¿Pero dónde estás, Maribel?

> *(Y entra doña Matilde por la puerta del foro. Va con sombrero.)*

DOÑA MATILDE. ¿Es que se ha perdido?

MARCELINO. ¡La dejé aquí!

> *(Y entra doña Paula, también con sombrero.)*

DOÑA PAULA. A ver si se ha ido al otro cuarto que le has dado a sus amiguitas...

MARCELINO. Seguramente. Voy a ver...

> *(Hace mutis.)*

DOÑA MATILDE. ¿Qué te parece la casa, Paula?

DOÑA PAULA. Lo que he visto es muy hermoso. Yo pensé que iba a ser más tristona... Pero no. Me gusta bastante. Y el jardín es mucho más grande que mi mirador de la calle de Hortaleza.

DOÑA MATILDE. ¿Y no te has mareado en el viaje?

DOÑA PAULA. Qué va. Ni mucho menos. Lo he pasado divinamente. Ahora que si llegamos a saber que las amigas de Maribel la habían acompañado, nos podíamos haber ahorrado tanto traqueteo...

DOÑA MATILDE. De todos modos hemos hecho muy bien en tomar esta determinación...

(Entra Marcelino, preocupado.)

MARCELINO. Se han ido, mamá.

DOÑA MATILDE. ¿Cómo que se han ido?

MARCELINO. Sí. Y se han llevado su equipaje. Y ahora que me fijo, tampoco está la maleta de Maribel...

DOÑA PAULA. ¿Pero cómo es posible que se hayan marchado?

MARCELINO. No puedo comprenderlo.

DOÑA MATILDE. ¡Pero debes buscarlas, Marcelino! No pueden haber ido muy lejos. En algún sitio tendrán que estar...

MARCELINO. Sí. Es posible que hayan ido hasta el pueblo a dar un paseo... Pero lo del equipaje es lo que no entiendo.

DOÑA PAULA. No te preocupes. Lo habrán metido debajo de la cama. Anda. Vete a buscarlas.

MARCELINO. Sí. Voy a ver si las encuentro.

(Y hace mutis, sin demasiada alegría. Doña Matilde y doña Paula quedan tristes.)

DOÑA MATILDE. Tengo miedo, Paula.

DOÑA PAULA. Y yo también, Matilde.

DOÑA MATILDE. Ya me temía yo que todo esto le pareciese triste. El pueblo, la casa, la fábrica... Y hasta mi hijo, Paula.

DOÑA PAULA. ¡Pero si Marcelino está cambiado desde que la conoce! ¿De cuándo acá, hace dos meses, se hubiera atrevido a venir de excursión con una chica...? ¡Pero si está hecho un calavera!

DOÑA MATILDE.   Y, sin embargo, Maribel se ha marchado. Habrá comprendido que éste no es el ambiente apropiado para una muchacha joven y moderna, acostumbrada a otra clase de vida.

DOÑA PAULA.   Yo estoy segura de que no se ha ido, Matilde. ¿Por qué ese afán de pensar mal? Conozco bien a Maribel y la considero incapaz de cometer una grosería semejante.

DOÑA MATILDE.   Eso mismo pensaba yo de ella; pero ahora... *(Se abre la puerta secreta y aparece Maribel con su maletita.)* ¡Hija, Maribel!

DOÑA PAULA.   ¡Caray! ¿Pero por dónde sale?

DOÑA MATILDE.   Es una puerta que da a la fábrica.

DOÑA PAULA.   Pues por poco me asusto.

DOÑA MATILDE.   ¿Pero cómo entras por ahí?

MARIBEL.   Vengo a pedirles que me perdonen.

DOÑA MATILDE.   ¿Por qué? Marcelino te ha ido a buscar. Creyó que habías ido hacia el pueblo.

MARIBEL.   He ido a acompañar a mis amigas, que se han marchado...

DOÑA MATILDE.   ¿Adónde?

MARIBEL.   Cuando se enteraron que venían ustedes, les dio un poco de apuro estar aquí... Yo también iba a irme. Pero después pensé que era mejor que si ustedes me tenían que decir algo, me lo dijeran.

DOÑA MATILDE.   Pues claro que te lo tenemos que decir. Que en este pueblo hay mucho cotilleo.

DOÑA PAULA.   Y que las costumbres modernas están bien en Madrid, pero que aquí no valen. Y por eso hemos venido.

MARIBEL.   No entiendo.

DOÑA PAULA.   ¡Pobrecilla! ¡Pero qué inocentona!

DOÑA MATILDE.   Pues porque al principio creíamos que eso de que te vinieras aquí sola con Marcelino era muy normal y muy moderno y todo lo que quieras. Pero después nos quedamos las dos solas y nos pusimos a meditarlo.

DOÑA PAULA.   Y pensamos que no está bien que una muchacha decente venga sola a casa de su prometido. No porque no nos fiemos de vosotros, claro, sino porque en el pueblo podían empezar a chismorrear. Y no nos da la gana que de ti chismorree nadie, Maribel.

DOÑA MATILDE.   Y entonces decidimos que lo mejor era que viniéramos nosotras para acompañaros... Y animé a Paula para que viniese conmigo. Y aquí estamos las dos tan contentas... ¿Qué te pasa?

MARIBEL.   (Emocionada.) No. No. Nada.

(Entra Marcelino. Va hacia Maribel. La abraza.)

MARCELINO.   ¡Maribel!

MARIBEL.   Perdóname... Me iba a ir con mis amigas, por si a tu madre no le gustaba que estuviésemos aquí tanta gente...

MARCELINO.   Las acabo de despedir. Han tomado el taxi en que vino mamá. No he podido convencerlas para que se queden...

DOÑA MATILDE.   Ya vendrán otro día, no preocuparos... ¿Quieres que te enseñe la casa, Paula?

DOÑA PAULA.   Sí, hija, enséñamelo todo. Y a ver si cenamos pronto, porque a mí el aire ese de la carretera me ha abierto mucho el apetito.

DOÑA MATILDE.   Pasa, pasa por aquí...

(Y las dos hacen mutis por el foro.)

MARCELINO.   ¿Por qué tenías miedo?

MARIBEL.   No. No tenía miedo...

MARCELINO.   Sí.

MARIBEL.   Lo tuve un momento, ¿sabes? Pero de pronto comprendí que no había motivo. Que no he hecho daño a nadie. Y que no tengo nada que temer.

MARCELINO.   Tú antes ibas a hablarme de tu vida, y yo no quiero saber nada, Maribel.

MARIBEL.   (Alegre. Convencida de lo que dice.) ¿Pero por qué, si todo es tan vulgar? Yo era costurera en casa de una modista que se llama Remedios, ¿sabes?... Y yo vivía en casa de Rufi, con su marido y con su hijo. Y con

Niní, que tenía una habitación alquilada y estudiaba en la Universidad. Y yo trabajaba mucho. ¡Venga a coser! ¡Venga a coser!... Y un día, una amiga me invitó a un bar a tomar una cerveza. Y entré en ese bar por primera vez y te encontré a ti. Y eso es todo, ¿comprendes? *(Y abraza, emocionada a Marcelino.)* Y yo sé que todo esto es verdad. Que ni te miento a ti, ni me miento a mí misma. Que ha ocurrido, ¿sabes? ¡Y por eso no tengo ya miedo!

> *(Maribel llora en los brazos de Marcelino. Y mientras tanto va cayendo el*

TELÓN

ÍNDICE DE LÁMINAS

ESTE LIBRO
SE TERMINÓ DE IMPRIMIR
EL DÍA 6 DE SEPTIEMBRE DE 1993

clásicos **castalia**

ÚLTIMOS TÍTULOS PUBLICADOS